…WYSI CYMRU
A'U TRYSORAU

Eglwysi Cymru a'u Trysorau

Edgar W. Parry

Argraffiad cyntaf: Ebrill 2003

Rhif Llyfr Safonol Rhyngwladol:
0-86381-824-2

Cynllun clawr: Sian Parri
Llun clawr: Eglwys Nant Peris, 1846 (Llyfrgell Genedlaethol)
Lluniau clawr cefn:
(i) Ysgerbwd ar sgrîn Eglwys Llaneilian
(ii) Rhan o sgrîn Eglwys Llanwnnog
(iii) Cnapan o golofn yn Eglwys Llanidloes

Lluniau i gyd gan yr awdur oni nodir yn wahanol

Argraffwyd a chyhoeddwyd gan Wasg Carreg Gwalch,
12 Iard yr Orsaf, Llanrwst, Dyffryn Conwy, LL26 0EH.
01492 642031
01492 641502
llyfrau@carreg-gwalch.co.uk
Lle ar y we: www.carreg-gwalch.co.uk

Cyflwynedig i'm gwraig,
gyda diolch.

Diolchiadau

Mae'n bleser gennyf ddatgan fy niolchiadau i'r offeiriaid hynny a fu'n barod iawn i ofalu bod yr eglwysi yr ymwelais â hwy yn agored i mi, ac am roi pob cymorth i mi yn fy ymchwiliadau. Diolch iddynt hefyd am eu parodrwydd i ateb fy nghwestiynau niferus. Rwyf yn ddiolchgar hefyd am gydweithio hapus â Gwasg Carreg Gwalch, fel arfer, ac am iddynt ymgymryd a chyhoeddi'r gyfrol.

Cynnwys

Rhagymadrodd

Eglwys y Plwyf yw'r adeilad mwyaf hynafol a diddorol yn y rhan fwyaf o drefi a phentrefi Cymru. Y mae pob eglwys yn unigryw, ac mae'n werth ymweld â rhai ohonynt oherwydd eu cymeriad a'u harddwch yn ogystal â'r trysorau sydd i'w gweld ynddynt. Rhywbeth sy'n perthyn i bob eglwys yw'r awyrgylch sanctaidd a heddychlon.

Mae'r eglwys wedi bod yn rhan hanfodol o'n cymdeithas ers y cychwyn – dyma galon ein plwyfi, ac o'u cwmpas y tyfodd y gymdeithas. Arferent fod yn fan cyfarfod yn ogystal ag yn fan i addoli. Yn yr eglwys yr oedd busnes y plwyf yn cael ei drafod a byddai chwaraeon a marchnad yn cymryd lle yn y fynwent. Yr eglwys sydd yn ein hatgoffa o'r gorffennol.

Er bod nifer yr addolwyr yn lleihau mae yna nifer gynyddol o bobl heddiw yn hoffi ymweld ag eglwysi, ac yn ymddiddori yn eu hanes a gwerthfawrogi'r hyn a welant ynddynt. Mae astudiaeth fanwl o hanes unrhyw eglwys hynafol yn rhoi braslun i ni o hanes ein cymdeithas am iddi fod ynghlwm wrth fywydau ein hynafiaid ers canrifoedd. Roedd gan yr Eglwys rywbeth i'w ddweud ac i'w gynnig i bobl ym mhob sefyllfa.

Yn wir, efallai nad yw pensaernïaeth eglwysi cefn gwlad Cymru i'w chymharu â phensaernïaeth ein cestyll mawreddog, serch hynny, mae pob un ohonynt yn bwysig ac yn ddiddorol. Yn yr eglwysi lleiaf a mwyaf diarffordd yn aml gellir gweld trysorau'n llechu, a'r trysorau hynny'n rhai amhrisiadwy. Ymhle arall y gallwn weld cymaint o drysorau sy'n dyddio o'r Canol Oesoedd, ac ymhle arall y cawn ni weld cymaint o waith coed cerfiedig a hynafol? Mae'r rhain yn drysorau gwirioneddol werthfawr, ac yn llawn deilwng o'n sylw a'n gofal.

Mae Cymru wedi colli llawer o sgriniau o'r eglwysi dros y canrifoedd drwy orchymyn brenin ac esgob – yn arbennig yn dilyn y Diwygiad Protestannaidd, ac hefyd trwy ddiffyg gofal a difaterwch. Collwyd llawer o'r trysorau hyn yn yr oes Fictoraidd pan oedd cyflwr ein heglwysi'n echrydus a'r gwaith o'u hatgyweirio wedi'i roi i benseiri ac adeiladwyr hollol anwybodus a diofal o'r gwaith oedd mewn llaw. Dyma gyfnod pan chwalwyd llawer iawn o'r sgriniau hyn ac fe'u gwerthwyd fel tanwydd i'r plwyfolion neu i deuluoedd ariannog i harddu eu cartrefi. Nid oedd unrhyw un yn cydnabod y gwaith cywrain oedd yn perthyn i nifer fawr ohonynt nac ychwaith yn ystyried eu pwysigrwydd hanesyddol. Cafodd nifer fawr o'r eglwysi eu hailadeiladu heb yr ymdeimlad cysegredig hwnnw a oedd yn arwydd o ddilysrwydd sefydlwyr yr eglwysi cynnar. Tybed ai oherwydd ein bod ni wedi colli'r ddelfryd yma yr ydym o'r diwedd wedi sylweddoli'r camwri?

Ond beth am y dyfodol? Ydym ni am adael i'n heglwysi hynafol fynd yn adfeilion unwaith eto? Mae'r ffaith fod yn rhaid i nifer ohonynt gau yn sicr o fod yn creu problemau mawr cyn belled ag y mae'r trysorau hyn yn y cwestiwn. Beth sydd am ddigwydd iddynt? Teimlaf yn gryf fod rhai o'r sgriniau hyn yn drysorau cenedlaethol, ac yn hwyr neu'n hwyrach fe fydd yn rhaid i ni fod yn barod i gymryd gofal ohonynt. Sut allwn ddisgwyl i gynulleidfa o ddeugain fod yn gyfrifol am ambell i drysor fel hyn?

Fy mwriad yn y llyfr hwn yw ceisio dwyn i sylw rai o'r trysorau gan obeithio y bydd hyn yn symbyliad i bigo'n cydwybod i ofalu amdanynt yn well fel y gallwn eu cyflwyno i'r dyfodol. Mae'r cyfrifoldeb arnom yn fawr, a mawr obeithiaf ein bod yn barod i ysgwyddo'r cyfrifoldeb hwnnw.

Cyn y gellir gwerthfawrogi'r trysorau a welwn, mae'n bwysig fod ganddom ni fraslun o hanes yr Eglwys drwy'r canrifoedd er mwyn deall y rhesymau sydd tu ôl i'r hyn a welwn. Er enghraifft, os ydym am fwynhau'r sgriniau, rhaid deall eu pwysigrwydd yn nefodau'r Eglwys yn ystod y blynyddoedd cynnar.

Nid wyf yn sôn am y ffenestri lliw sydd mewn nifer o eglwysi – er mor anodd oedd peidio crybwyll y ffenestr Jesse a welir yn eglwys Sant Dyfnog, Llanrhaeadr, sir Ddinbych, er enghraifft – nac ychwaith y ffenestri o wydr Fflemig o'r unfed ganrif ar bymtheg a geir yn eglwys Sant Gwenllwyfo, Llanwenllwyfo, sir Fôn. Mae'n rhaid mynd i Amgueddfa y Metropolitan yn Efrog Newydd i weld rhai eraill cystal â hwy. Mae llyfr safonol yn adrodd hanes ein ffenestri lliw yn bodoli eisoes. Yr un yw'r rheswm pam nad wy'n sôn am y llestri arian sydd i'w gweld mewn nifer o eglwysi. Nid wyf chwaith yn ymdrin â'r Eglwysi Cadeiriol am fod amryw o gyfrolau ar gael yn gosod eu hanes yn fanwl eisoes.

Ymgais sydd yn y llyfr hwn i geisio ateb rhai o'r cwestiynau sy'n debygol o gael eu gofyn, a thrwy hyn wneud unrhyw ymweliad yn fwy diddorol ac yn gymorth i werthfawrogi'r trysorau cymaint yn fwy.

Mae'n amhosib i drafod pob eglwys mewn llyfr fel hwn, ac felly rwyf wedi rhoi detholiad personol yn unig. Rwy'n ymwybodol iawn fod nifer o eglwysi nad oes sôn amdanynt yn y gyfrol hon sydd yn haeddu sylw, ond gobeithiaf y bydd y llyfr yn arwain at fwy o ddiddordeb yn yr eglwysi hynafol a ganfyddir yng nghefn gwlad. Credaf, fodd bynnag, fod yma gynrychiolaeth deg o'r sgriniau gorau sydd i'w gweld yn eglwysi Cymru.

Wrth gyfeirio at yr eglwysi rwyf wedi cadw at hen enwau'r siroedd.

Edgar W. Parry, Caernarfon

Y Blynyddoedd Cynnar

Mae pob cyfnod mewn hanes wedi gadael ei ôl, a'n dyletswydd ni yw ceisio edrych ar y cyfnodau hynny a dysgu oddi wrthynt. Nid esgyrn sychion hanes ddoe sy'n bwysig, ond yn hytrach, yr hyn y maent yn ei gynnig i ni heddiw, a buan y sylweddolwn mor rhwydd y mae'r naill gyfnod yn llithro'n naturiol i'r llall.

Mae Cymru'n gyforiog o gestyll, ac am amser maith credwyd nad oedd ganddi fawr ddim arall i'w gynnig ym myd pensaernïaeth. Ond beth am yr eglwysi? Wrth edrych arnynt yn frysiog mae peryg i ni gredu nad oes rhyw lawer o rinweddau'n perthyn iddynt. Hawdd iawn yw eu hanwybyddu am eu bod yn ymdoddi'n naturiol i'r tir o'u cwmpas, ond nid yw hynny'n golygu na ddylid rhoi ystyriaeth iddynt.

Yn y broses o ddysgu am hanes y gorffennol mae'n heglwysi'n bwysig iawn. O'r cychwyn cyntaf mae dynoliaeth wedi bod yn addoli rhywbeth, boed ddŵr neu dân, neu unrhyw beth arall oedd yn rhoi cynhaliaeth.

Wrth edrych ar eglwysi Cymru heddiw, yr hyn a welwn yw penodau o hanes ein plwyfi. Yr eglwys yw'r adeilad sy'n rhoi undod a bywyd i'r plwyf; dyma galon y gymdeithas ac mae wedi bod yn curo'n ddi-dor ers cyn cof mewn rhyw ffordd neu'i gilydd.

Bu Eglwys Gadeiriol neu eglwys y plwyf yn uchafbwyntiau pensaernïaeth eu cyfnod. Maent yn cynrychioli ymrwymiad aruthrol mewn amser, medrusrwydd ac arian, a phrif grefftwyr eu cyfnod oedd yn gyfrifol am eu hadeiladu. Yn ogystal, maent yn gofnod o hanes a diwylliant yr ardal ac fe all yr eglwys fwyaf ddi-nod fod yr un mor ddiddorol a chyfareddol ag unrhyw Eglwys Gadeiriol.

Ond nid gogoniant pensaernïol yn unig a welwn, ond canrifoedd o hanes Cristnogaeth. Mae pob cenhedlaeth wedi bod yn defnyddio'r eglwysi mewn ffordd gwahanol yn unol â'u dealltwriaeth o'r ffydd Gristnogol, gellir darllen hyn yn yr adeiladwaith – roeddynt wedi eu cynllunio ar gyfer rhyw ffurf o wasanaeth arbennig. Yn yr eglwys uniongred roedd yr offeiriad yn cael ei wahanu o'r gynulleidfa gan sgrîn soled, ac yn Nhŷ Cwrdd y Crynwyr mae'r seddau'n wynebu ei gilydd ac nid oes offeiriad yno. Pan fyddai ffurf y gwasanaeth yn newid gyda threiglad y blynyddoedd, yna fyddai hynny o bosib yn galw am newidiadau y tu fewn i'r eglwys hefyd.

Eglwys y plwyf oedd yn cyflenwi anghenion y bobl, a hi oedd y ganolfan ysbrydol a chymdeithasol. Roedd yn gysylltiedig â holl deimladau dynol, boed drist neu ddedwydd, yn ogystal â bod yn rhoi diddanwch ar ddyddiau gŵyl ac ar ŵyl mabsant a oedd yn ddyddiau pwysig yng nghalendr yr eglwysi.

Mae rhybuddion cyhoeddus yn dal i'w cael eu harddangos yng nghyntedd rhai eglwysi, ac mae hyn yn ein hatgoffa o'r dyddiau pan oedd llawer o faterion y plwyf yn cael eu trafod ynddynt. Dyma ble'r oedd y plant yn cael eu bedyddio a phriodasau'n cael eu gweinyddu, ac o gwmpas yr eglwys y byddai'r rhai oedd wedi torri eu llwon yn gorfod cerdded wedi eu gwisgo mewn cynfas wen.

Byddai'r muriau y tu fewn i'r eglwys wedi eu gwyngalchu gyda lluniau wedi eu paentio arnynt; mae'n syndod fel y mae rhai o'r rhain yn dod i'r golwg o hyd wrth i ambell un gael ei hatgyweirio. Fe fyddai'r eglwysi cynnar hyn yn wahanol iawn i'r hofelau yr oedd y bobl o'u cwmpas yn byw ynddynt.

Os ydym am geisio deall yr hyn y mae astudiaeth o'r eglwysi yn ei ddweud wrthym heddiw, yna mae'n rhaid i ni fynd yn ôl ac edrych ar eu tarddiad, a gweld sut a pham oedd yr eglwys Geltaidd yn wahanol i weddill eglwysi Erwop. Mae'n rhaid dilyn y newidiadau a ddigwyddodd fel yr oedd ffurf y gwasanaeth a defodau'r Eglwys yn newid dros y canrifoedd.

Rhesymol yw meddwl fod y derwyddon wedi camu ymlaen

fel offeiriaid i'r grefydd newydd ar eu tröedigaeth i Gristnogaeth, ac iddynt ddefnyddio'u hen safleoedd paganaidd y tu fewn i'r cylchoedd cerrig ar gyfer eu gwasanaethau. Byddai hyn yn egluro pam y mae gennym cymaint o fynwentydd crynion yma yng Nghymru, ac wrth edrych yn fanwl ar furiau ambell un o'r mynwentydd hyn, gwelir rhai o'r Meini Hirion yn ffurfio rhan o wal y fynwent.

Mae eglwys Pencraig, sir Faesyfed wedi ei hadeiladu y tu fewn i gloddwaith cynhanesyddol. Pan ddaeth Cristnogaeth i'r ardal, defnyddiwyd safle a oedd eisoes wedi cael ei ddefnyddio ganrifoedd ynghynt, a'r fynwent gron yn pontio'r ddau gyfnod. Ceir mynwent gron hefyd yn Ysbyty Cynfyn ar lethrau Pumlumon heb fod ymhell o Bontarfynach sy'n sefyll yng nghanol claddfa o'r Oes Efydd. Roedd yno nifer o Feini Hirion, ac mae pump ohonynt i'w gweld yn rhan o wal y fynwent. Safai ysbyty yno yn ystod y ddeuddegfed ganrif i gynnig lloches i'r pererinion oedd ar eu ffordd i Ystrad Fflur.

Roedd y fynwent, fel yr eglwys, yn cynnig diogelwch mewn amser o gythrwfwl, a byddai'r anifeiliaid yn cael eu hel yno am y byddent yn saff yn y fan honno. Yn y fynwent hefyd fyddai'r plwyfolion yn cynnal eu chwaraeon megis paffio, ymaflyd codwm a phêl-droed yn ogystal ag ymladd ceiliogod.

Roedd yr arferiad o gynnal cyfarfodydd yn y fynwent yn bodoli ers yr amser cynhanesyddol ac yn dilyn patrwm gwahanol i'r hyn a fodolai yn Lloegr. O ddechrau'r chweched ganrif roedd defodau Cristnogol yn cael eu hymarfer mewn mannau oedd wedi eu hymneilltuo'n arbennig ar gyfer addoli. Yr oedd y safleoedd hyn yn bodoli o flaen yr eglwysi ac yn cael eu hystyried yn fannau cysegredig am fod y meirw wedi cael eu claddu yno ers cynhanes. Yn ystod y chweched ganrif roedd y gair 'Llan' yn disgrifio safle wedi ei gysegru ar gyfer claddu'r meirw, ac nid am ganrifoedd wedyn y daeth i ddynodi eglwys.

Er bod y Cristnogion cynnar yn llwyr ymwrthod â phaganiaeth, yr oeddynt, serch hynny, yn hollol barod i ddefnyddio'r hen gladdfeydd paganaidd.

Ar lafar gwlad roedd yna gred fod y mynwentydd yn grynion fel na fyddai cornel i'r diafol guddio ynddynt.

Roedd trefnyddiaeth yr hen eglwys Geltaidd yn dra gwahanol i eiddo Eglwys Rufain a fabwysiadwyd rai canrifoedd yn ddiweddarach. Nodwedd arbennig y Celtiaid oedd y meudwy gyda'i gell mewn man anghysbell ac anghyfannedd. Gŵr a hoffai'r encilion oedd y meudwy, a chodai ei gell ar ynysoedd unig fel Enlli neu ar lan y Fenai ac yng nghanol y mynyddoedd fel ym Mhennant Melangell. Dyma'r safleoedd lle teimlai'n saff oddi wrth fywyd cythryblus ei gyfnod. Erbyn diwedd y chweched ganrif roedd yr awydd i encilio i fannau anghysbell wedi mynd yn anorchfygol, a hyn efallai wedi ei symbylu gan y pla a ddaeth i Brydain yn y flwyddyn 549. Dyma oedd 'Oes y Seintiau' pan fu i Gristnogaeth atgyfnerthu ei gafael ar drigolion Cymru. O dipyn i beth daeth y celloedd hyn yn fannau cysegredig; tyfodd yr arfer i'r boblogaeth fynd yno i addoli, a datblygodd rhai i fod yn eglwys y plwyf.

Wrth i'r boblogaeth gynyddu a symud o'r ucheldiroedd i'r gwastatir fe ail-leolwyd yr eglwysi. Dim ond enwau yw'r rhan fwyaf o'r hen gelloedd hyn erbyn heddiw ond datblygodd ambell un, fel Enlli, i fod yn fynachlog enwog. Er mor gyntefig oedd yr eglwysi cynnar hyn, cawsant ddylanwad ar adeiladau'r eglwysi am ganrifoedd lawer.

Dywedodd y pensaer Syr Gilbert Scott fod yr eglwys Geltaidd ar ei symlaf yn dilyn cynllun yr oruwchystafell lle fyddai'r disgyblion yn cyfarfod yng Nghaersalem, a bod y cynllun hwn yn cryfhau'r traddodiad o darddiad dwyreiniol yr eglwys.

Syml iawn felly oedd cynllun yr eglwysi cynnar. Byddai'r offeren yn cael ei gweinyddu yn rhan ddwyreiniol yr eglwys y tu ôl i sgrîn, ac yn ddiweddarach daeth y grog gyda cherflun o Grist gyda'r Forwyn Fair ar un ochr a Sant Ioan ar yr ochr arall. Nid oedd clochdy i'r adeilad, a defnyddid cloch law neu'r 'Gloch Bangu' sy'n brin iawn erbyn heddiw. Er hynny, mae

Cloch Gwyddelen wedi ei dychwelyd i eglwys Dolwyddelan, sir Gaernarfon. Cloch efydd yw hon ac mae'n annhebygol o fod yn dyddio'n ôl yn gynharach na'r ddegfed ganrif. Yn ôl y sôn, fe'i darganfuwyd ym Mryn y Bedd, Dolwyddelan, ac am flynyddoedd bu ym meddiant teulu Gwydir cyn iddi gael ei chartrefu'n briodol iawn yn yr eglwys. Mae hi'n nodweddiadol o glychau'r cyfnod. Un o glychau enwocaf Cymru mae'n debyg yw Cloch Glasgwm, sir Faesyfed. Cyfeiria Gerallt Gymro ati yn yr *Itinerarium Cambriae*. Yn ôl traddodiad, perthynai i Dewi Sant, ac fe'i cludwyd yno gan ddau o ychain Dewi; honnir iddo ddweud bod iddi rinweddau gwyrthiol yn ôl Dewi.

Am nad oedd bedyddfaen i'w cael yn yr eglwysi cynnar, byddai'r plant yn cael eu bedyddio mewn ffynnon gyfagos, ac mae'n ddiddorol sylwi faint o ffynhonnau sy'n gysylltiedig ag eglwysi. Dros y canrifoedd fe dyfodd chwedlau lawer am ddŵr rhinweddol ambell ffynnon, a byddai amryw ohonynt yn cael eu hadnabod fel 'Ffynnon y Sant'. Byddent yn cael eu cydnabod fel mannau cysegredig cyn dyfodiad Cristnogaeth i'r wlad. Mae'r arfer o ddefnyddio dŵr o'r ffynhonnau hyn ar gyfer bedyddio wedi parhau hyd heddiw mewn nifer o eglwysi.

Ni ellir cymharu Cymru â Lloegr cyn belled ag y mae adeiladau eglwysig yn y cwestiwn, ac mae amryw o resymau dros hyn. Ychydig iawn o boblogaeth oedd yn yr ardaloedd mynyddig; nid oedd y cerrig yn addas iawn i'w trin ar gyfer adeiladu, a phan oedd pensaernïaeth Gothig ar ei orau yn Lloegr, roedd y naill helynt ar ôl y llall yn aflonyddu ar Gymru. Nid oes ond angen edrych ar ddisgrifiad Syr John Wynn o Wydir yn ei lyfr *The History of the Gwydir Family* i weld sut fywyd oedd yng ngogledd Cymru yn ystod y bymthegfed ganrif. Pan ymfudodd Meredydd ap Ieuan o Crug ger Caernarfon:

> *. . . he was minded to have returned to his inheritance in Evionyth where there was nothinge but killinge and fightinge, whereupon he did purtchase a lease of the castle and Ffrithhes of dolthelan.*

Fe aeth yno; serch hynny, yn Ysbyty Ifan gerllaw roedd:

> *. . . a Lardge thinge, w'ch had priviledge of sanctuarie a peculiar iurisdiction not governed by the kings lawes, a receptacle of theives and murtherers, whoe safely beinge warranted there by lawe was safe from incursions and roberrie . . . and that he had rather fight with out lawes and thieves then with his ownde blood and kindred, for if I live in myne owne house in Evionyth I must eyther kill myne owne kinsmen or be killed by them.*

O ganlyniad i amgylchiadau o'r fath, nid oes ryfedd mai eglwysi bychan a gafwyd yn y cyfnod. Roedd y rhain yn ateb gofynion y bobl a dim mwy.

Mae eglwysi gorau Cymru'n perthyn i gyfnod y Tuduriaid, pan oedd gwell cyfathrach rhwng Cymru a Lloegr, a dyma'r cyfnod pan ailadeiladwyd eglwysi Clynnog, Bangor a Biwmares yn y gogledd a Chaerfyrddin a Dinbych-y-pysgod yn y de.

Nodweddion unigryw yr eglwysi Celtaidd oedd:

(i) Talcen sgwâr yn yr ochr ddwyreiniol ynghyd â ffenestr fechan yn y fan honno.

(ii) Yr allor wedi'i ymneilltuo y tu ôl i sgrîn.

(iii) Y drws ar yr ochr ddeheuol.

Addaswyd y talcen crwn yn y dwyrain o syniadau pensaernïol yn hytrach nag yn sgîl gofynion y gwasanaeth, ond am ein sgriniau ni, dywedodd Syr Gilbert Scott: 'fe ymddengys ein bod yn gweld dylanwad dwyreiniol, yr un yn wir a arweiniodd i'r sgrîn soled neu'r *iconostasis* yn yr eglwys yng Ngroeg a oedd yn llwyr guddio'r seremonïau o olwg y gynulleidfa. I'r un tarddiad y dylem gyfeirio'r syniadau oedd yn bodoli yn Lloegr drwy'r Oesoedd Canol ac a arweiniodd i godi sgriniau uchel yn y gangell a'r delweddau a'r peintiadau a fyddai yn llenwi bwa'r gangell'.

Byddai'r allor yn yr eglwysi hyn wedi eu gorchuddio â lliain gwyn, ac fel rheol, dangosid creiriau'r sant megis cloch, llyfr a ffon fugeiliol arni, yn union fel ag yr oedd Gerallt Gymro'n cyfeirio atynt. Ychydig iawn o olau oedd yn yr eglwysi cynnar; byddai ffenestr fechan i oleuo'r gangell, a drws agored oedd yr unig fodd i oleuo gweddill yr adeilad. Dyma'r drefn a fodolai yn eglwys Llanfaglan, ger Caernarfon cyn i'r transept gael ei adeiladu yn y 1600au cynnar. Gan mai'r offeiriad oedd yr unig un â llyfr nid oedd y gynulleidfa angen golau. Llawr o bridd oedd i eglwysi'r cyfnod, ac roedd y muriau y tu fewn wedi eu gwyngalchu. Yn wir, dyna oedd y drefn hyd at flynyddoedd cynnar y bedwaredd ganrif ar bymtheg. Soniodd llawer o deithwyr cynnar Cymru am yr eglwysi yn y termau hyn ynghyd â'r arferiad o gladdu y tu fewn i furiau'r eglwys. Wrth edrych drwy cofrestri plwyf fe welir sawl cyfeiriad at brynu gwellt i'w roddi ar y llawr ar adeg y gwyliau.

Ni welwyd fawr ddim newid yn yr eglwysi hyd ddiwedd y drydedd ganrif ar ddeg neu ddechrau'r bedwaredd ganrif ar ddeg pan fabwysiadwyd y defodau Lladin yn gyfangwbwl. Dyma pryd yr ehangwyd nifer o eglwysi, ac yn sgîl hynny, ychwanegwyd y gangell atynt. Cyfeiria Cynddelw (1155-1200) yn ei awdl i Tyseilio at ei amryw eglwysi, a dywed 'Llan llugryn Llogaut Offerenn'; cyfeirio y mae at Llanllugan yn sir Drefaldwyn ac mae'r gair 'llogaut' yn golygu man wedi ei ymneilltuo ar gyfer yr Offeren.

Ar ôl gwrthryfel Owain Glyndŵr daeth Cymru'n fwy sefydlog, a chyda teyrnasiaeth y Tuduriaid yn 1485 daeth gwell llewyrch ar y wlad yn gyffredinol a chynyddodd y boblogaeth. Erbyn y bymthegfed ganrif, ac ar ôl y Diwygiad Protestannaidd, cafwyd gwell adeiladau ac ychwanegwyd at yr eglwysi wrth i glochdai ac ati gael eu codi.

Mae'r eglwysi bob amser wedi eu cynllunio yn arbennig ar gyfer ffurf y gwasanaeth, ac mae unrhyw newidiadau yn eu cynllun yn adlewyrchu'r newidiadau hynny a ddigwyddodd o oes i oes. Roedd gwasanaethau'r Llyfr Gweddi a'r pregethu hirfaith i fod yn glywadwy i'r gynulleidfa ac felly roedd eglwysi'r ail ganrif ar bymtheg a'r ddeunawfed ganrif yn cael eu hadeiladu neu eu haddasu i'r pwrpas hwnnw. Ac ar eu rhan dywedodd Syr Christopher Wren: *'It is enough if they (the Romanists) hear the murmer of the Mass and see the Elevation of the Host, but ours are fitted as auditories'*. Ac felly llanwyd corff yr eglwys gyda seddau uchel a roddai rhywfaint o gysgod rhag yr oerfel yn ogystal. Byddai pulpud uchel (o ddau neu dri lefel) yn cael ei osod yn yr ochr neu weithiau yng nghanol y rhan ddwyreiniol o'r adeilad.

Os nad yw adeiladau'r eglwysi cynnar o bensaernïaeth hardd, nid yw hyn yn golygu nad oes iddynt gymeriad. Mae atgyweiriadau'r bedwaredd ganrif ar bymtheg wedi gwneud eu gorau i ddinistrio nodweddion sylfaenol yr hen eglwysi fel bod eu symylrwydd cyntefig wedi ei golli. Y mae'r hen adeiladau hyn yn gofyn am gydymdeimlad a dealltwriaeth bob amser pan fyddent angen eu hatgyweirio, ac o bosib, mae'r gwaith o'u hatgyweirio yn aml iawn yn gofyn am gymaint o fedrusrwydd ag yr oedd ei angen wrth eu hadeiladu yn y lle cyntaf.

Y Mynachlogydd

Datblygiad pwysig a ddigwyddodd yn nyddiau cynnar Cristnogaeth oedd sefydlu'r ddelfryd fynachaidd a ddaeth yn boblogaidd iawn yng Nghymru. Sefydlwyd cymunedau mynachaidd ledled y wlad, a daeth y rhain yn enwog am eu bywyd hunanymwadol. Cafodd y rhan fwyaf o'r rhain eu sefydlu ar ynysoedd a mannau unig eraill, lle gwelid y traddodiad mynachaidd yn cael ei gynnal ar y syniad o ddianc o'r bywyd seciwlar. Roedd y syniad yma o wahanolrwydd yn nodweddiadol o'r bywyd mynachaidd.

Y drydedd ganrif ar ddeg oedd oes aur mynachaeth ar ei ail wedd ar ôl cyfnod yr eglwys fore Geltaidd. Datblygiad naturiol ydoedd o feudwyaeth y cyfnod hwnnw.

Yr Urdd bwysicaf yn hanes Cymru oedd Urdd y Sistersiaid, a hwy oedd yn gyfrifol am y mynachlogydd mwyaf sydd gennym megis Ystrad-fflur, Ystrad Marchell, Cymer, Cwm-hir, Aberconwy, Glyn-y-groes neu Tyndyrn a Glyn-nedd. Prif ddyletswyddau'r mynachlogydd hyn oedd gweddïo, cynnig lletygarwch a chyfrannu elusen, ac mae tystiolaeth y beirdd yn bwysig iawn wrth iddynt adrodd am letygarwch ac elusengarwch yr Abadau yn eu cerddi.

Daeth rhai o'r mynachlogydd yn gyfoethog iawn ac yn bechnogion ar diroedd lawer. Derbynient incwm sylweddol mewn degymau oddi wrth eglwysi yn ogystal. Roedd mwynau Cwmystwyth yn perthyn i Ystrad fflur, ond pan drawyd hwy gan gyfnod caled, roedd yn rhaid iddynt osod eu tiroedd ar brydles i'w perthnasau a'u cyfeillion a'u tenantiaid. Yn sicr, roedd eu cyfoeth yn symbyliad i Harri VIII eu diddymu er mwyn cael yr arian i'w ddwylaw ei hun.

Nid y Sistersiaid oedd yr unig Urdd i sefydlu eu hunain yng Nghymru. Roedd y Benedictiaid, y Brodyr Ffransis, y Temlwyr, yr Ysbytwyr a'r Awstiniaid wedi sefydlu yma ynghyd â'r Premonstratensiaid.

Roedd dyfodiad mynachaeth i Gymru i raddau ynghlwm wrth y barwniaid Normanaidd, ac yn ne Cymru gwelid perthynas agos rhwng eu tai a'r cestyll Normanaidd. Ar brydiau, byddai'r mynachlogydd yn cael eu defnyddio fel cadarnleoedd y Normaniaid, ac fe ddaeth y ddau sefydliad – y milwrol a'r crefyddol, i'w dilorni gan eu bod yn dai i fynaich Ffrainc neu Loegr, a gwaherddid y Cymru oddi yno. Yn y gogledd, lle nad oedd dylanwad y Normaniaid mor drwm, cafodd y mynachlogydd eu datblygu'n wahanol.

Gofalai'r Sistersiaid eu bod yn codi eu tai mewn mannau unig a dyffrynnoedd tawel lle roedd yn bosib iddynt fyw ar drin eu tir a chadw defaid. Amaethwyr a bugeiliaid oeddynt, ac roedd hyn yn eu cymeradwyo i'r Cymry. Gwelir olion eu mynachlogydd hyd heddiw yn y mannau prydferthaf o Gymru megis Abaty Tyndyrn ar lan afon Gwy ac Abaty Glyn-y-groes, dyffryn Llangollen.

Er mor uchelgeisiol oedd y bywyd mynachaidd, nid oedd bob amser yn cyrraedd at y nod. Pan oedd Gerallt Gymro ar ei daith drwy Gymru gyda'r Archesgob Baldwin fe gawn adroddiadau amrywiol ganddo am y mynachlogydd – weithiau rhai ffafriol a thro arall rhai llawdrwm iawn. Mewn un ohonynt teimlai fod llygredigaeth yn teyrnasu yno ac wrth sôn am y Sistersiaid fe ddywed:

> Mae y rhain, sydd yn tarddu o'r Benedictiaid, yn glynu'n afaelgar i'w addunedau o dlodi a sancteiddrwydd, ac ar y cychwyn yr oeddynt hwythau hefyd i'w canmol a'u cymeradwyo, ond yna, gwelir uchelgais, sef mam ddall ein holl anfad, nad yw'n gosod unrhyw derfyn ar ein dyheadau, yn ymlusgo'n araf ac yn cymryd meddiant ohonynt. Mae gormod o lwyddiant yn eu gwneud yn drachwantus am

ychwaneg . . . Y mae'r Sistersiaid yn eithriadol yn eu cymedroldeb, yn ddiflino wrth ymestyn lletygarwch i bawb, ac yn cynnig elusen yn ddi-ben-draw i'r pererinion a'r anghenus. Nid ydynt yn byw fel eraill ond trwy chwys eu hwyneb a rheolaeth ddoeth. Dyna paham y maent mor awyddus i gael ychwaneg o dir er mwyn ymateb i'r gofynion am letygarwch.

Mae gwreiddiau'r Sistersiaid i'w canfod yn Cîteaux yn Ffrainc. Ar ôl cychwyn sigledig daethant yn rym nerthol yn Ewrop erbyn 1115 wrth i'w dylanwad a'u mynachlogydd luosogi. Erbyn 1131 roeddynt wrthi'n sefydlu mynachlog yn Tyndyrn ar lannau'r afon Gwy ac yna yn 1140 yn yr Hendy-gwyn ar Daf.

Yn gyffredinol, roedd y mynachlogydd mewn cyflwr trychinebus ar ôl gwrthryfel Owain Glyndŵr (1400-1412). Er i briordy bychan Caerdydd gael ei achub ni fu adfywiad yn abaty mawr Cwm-hir. Yn 1412, roedd Margam wedi chwalu'n llwyr a'r Abad a'r mynaich wedi eu gorfodi i grwydro o gwmpas mewn tlodi. Y gwrthryfel ddaeth â'r bywyd mynachaidd i'w drai.

Tebyg oedd sefyllfa Ystrad Fflur i abatai eraill Cymru erbyn dechrau'r unfed ganrif ar bymtheg, gyda nifer y mynaich wedi lleihau'n arw.

Erbyn 1525-26 roedd Harri VIII am gael ysgariad oddi wrth ei wraig Catrin o Aragon ond gwrthododd y Pab Clement VII â chytuno. Roedd y brenin yn fwy penderfynol fyth erbyn diwedd 1532 gan fod Anne Boleyn yn feichiog, ac er mwyn sicrhau ei olyniaeth, nid oedd am weld y plentyn yn cael ei eni'n anghyfreithlon. Yn effeithiol, torrwyd pob cysylltiad â Rhufain ym mis Ionawr 1544 ar ôl i Thomas Cranmer roi dedfryd yn erbyn Catrin ac i Ddeddf Atal Apêl gael ei chario yn y flwyddyn honno. Roedd y ffordd yn glir yn awr i ddeddfu yn erbyn pabyddiaeth, ac yn 1534 daeth Deddf Goruchafiaeth i rym oedd yn datgan mai'r brenin a'i etifedd oedd unig ben yr eglwys. O ganlyniad, roedd yn rhaid i'r holl glerigwyr dyngu llw o deyrngarwch i'r brenin.

Cam bychan wedyn oedd i'r brenin droi ei olygon at y mynachlogydd. Amcangyfrifwyd ar y pryd fod y rhain yng Nghymru yn cyfrannu ychydig dros £3,000 y flwyddyn. Roeddynt wedi eu gwaddoli'n hael drwy dduwioldeb lleygwyr dros y canrifoedd ac roedd y brenin yn awyddus iawn i gael ei ddwylaw ar y cyfoeth. Penodwyd Thomas Cromwell yn *Vicar-General* gyda'r awdurdod i benodi dirprwywyr i ymweld â'r holl fynachlogydd a rhoi adroddiad ar eu cyflwr, ac yn arbennig ar eu gwerth. Pwrpas yr ymweliadau hyn oedd nid i ddiwygio'r sefydliadau ond i chwilio am feiau er mwyn cael esgus i'r Goron eu diddymu. Ac adroddiadau felly a gafwyd.

Gadawodd sefyllfa economaidd a gwleidyddol y bedwaredd ganrif ar ddeg a'r bymthegfed ganrif eu marc ar fynachlogydd Cymru. Bu tlodi'n boendod i lawer drwy gydol yr Oesoedd Canol, ac wrth i nifer y mynaich leihau'n gyson o'r bedwaredd ganrif ar ddeg ymlaen, nid rhyfedd felly i'r gwasanaethau dyddiol o weddïo ac addoli leihau. Cyn i Harri VIII ddod ar yr orsedd yn 1509 roedd nodded a chymorth cyffredinol wedi gwegian, a'r ddelfryd o fynachaeth wedi colli ei apêl, ac felly'r fflam ysbrydol wedi diffodd.

Yn 1536 aeth deddf drwy'r Senedd i ddiddymu'r mynachlogydd hynny oedd yn llai o werth na £200 y flwyddyn, a deuai holl fynachlogydd Cymru o dan y categori hwn. Fe dalodd rhai ohonynt megis Ystrad Fflur, Glyn Nedd a Hendy-gwyn ar Daf arian i'r Goron er mwyn cael cario ymlaen, ond am amser byr yr estynnwyd eu bywyd – braint amheus yn wir am dalu mor ddrud.

Dyma oedd gwerth rhai o'r mynachlogydd ar adeg y chwalfa:

Mynachlog	Gwerth blynyddol	Nifer o fynaich
Tyndyrn	£192	13
Glyn-y-groes	£188	6
Aberconwy (Maenan)	£162	
Glyn-nedd	£137	8

Hendy-gwyn ar Daf	£135	8
Ystrad-fflur	£118	8
Ystrad Marchell	£ 64	4
Cymer	£ 51	3
Margam	£181	8
Cwm-hir	£ 28	3

Buan iawn yr ysbeilwyd yr adeiladau; tynnwyd y plwm i ffwrdd oddi ar eu toeau'n syth; gwerthwyd y clychau a llofftydd y grôg. Defnyddiwyd y cerrig i adeiladu plastai yn y gymdogaeth, ac mae adroddiad manwl o chwalu Abaty Maenan yn dangos i'r cerrig gael eu defnyddio i atgyweirio cestyll Caernarfon, Biwmares a Harlech a Thŷ'r Trysorlys yng Nghaernarfon:

The costs and charges that there were done in taking downe of the churche rouffe of the late Abbeye of Conweye and the kariage of Stones and Tymbre from the said Abbeye to Caern
Imprimis payde to Thommas Hervey and Robert ap Willm, carpenters by thye space of vj days after the rate of vid. the day unto ev'y of them . . . *vjs*
It'm payde to the same carpenters for theire labor in taking down the said rouffe iiid a pese . . . *viijd*
It'm paide to Roberte ap John ap Atha for the freyght of his pykarde of vij tone to carye the said Tymbre by Water to Caern' . . . *xijs viiijd*
It'm paide for the ffraighte of another pykarde laden with stones of iij tonne from the said Abbey to Caern' . . . *vs iijd*

Cyffelyb yw adroddiadau am yr abatai eraill.

Yn naturiol iawn, roedd y teithwyr cynnar drwy Gymru'n gofalu ymweld â'r adfeilion hyn ac mae eu hadroddiadau hwythau'n ddiddorol iawn. Un o'r teithwyr hynny oedd y Parchedig John Parker (1798-1860). Roedd ganddo ef fwy o gydymdeimlad tuag at Gymru na llawer iawn o deithwyr ei gyfnod, ac yr oedd yntau hefyd yn gofidio wrth weld yr adfeilion. Yn ei ddyddiadur am y flwyddyn 1843, ar ôl ymweld ag Abaty Llanddewi Nant Hodni, fe ysgrifennodd:

As an artist, I lament, and as a priest, although not a Romish one, I cannot behold a temple of God in ruins without pain and sorrow. No 'pictorial effect' can compensate for the absence of worship or atone the crime of sacrilege. Every monastic ruin bears witness against the sin of those who worshipped God unrightously, and the still greater sin of those who destroyed His place of worship. I also visited the ruins of the dismantled house of Mr Landor, the absentee landlord of Llanthony. Is this another instance, I thought to myself, of the difficulties that beset the lay owners of Church property? The materials of this house were obtained not only from neighbouring quarries but also from the central tower of Llanthony.

Abaty Cwm-hir, sir Faesyfed

Wrth edrych am lecyn tawel i godi abaty ac i fyw y bywyd mynachaidd hunanymwadol, ni fuasai'r Sistersiaid wedi cael safle mwy delfrydol na Chwm-hir, sydd ar lan afon Clywedog yn sir Faesyfed rhyw saith milltir o Raeadr Gwy. Mae'r safle'n dal i gyfleu'r ddelfryd gref o unigrwydd a goleddai'r Sistersiaid gymaint. I'r fan hyn y daeth mynaich o Hendy-gwyn ar Daf i sefydlu'r abaty yn 1143, ac oddi yno yr aeth mynaich i Gymer ger Dolgellau, sir Feirionnydd yn ddiweddarach i sefydlu'r Abaty yno.

Er bod Cwm-hir mewn safle mor anghysbell, roedd gan y Sistersiaid drefn i gadw rheolaeth ar bob abaty. Gan mai Hendy-Gwyn ar Daf oedd wedi ei sefydlu, roedd gan Abad yr ardal hawl i ymweld â hi, ac felly hefyd Cwm-hir yn ei chysylltiad ag Abaty Cymer. Yn ychwanegol i hyn roedd pob Abad o'r Urdd i ymweld â Citeaux unwaith y flwyddyn i fynychu cyfarfod o'r Siapter lle fyddai holl weithgareddau'r Urdd yn cael eu trafod. Gofalai hyn am undod yn y gweithgareddau yn ogystal â sicrhau fod Rheolau'r Urdd yn cael eu cadw. Cafodd yr ymweliadau hyn â Citeaux ddylanwad ar bensaernïaeth yr abatai, ac ychydig o wahaniaeth a welir yn eu cynlluniau sylfaenol.

Sefydlwyd yr Abaty yn 1143 gan Maredudd ap Madog, Arglwydd Maelienydd, ac yna yn 1176 fe'i hailsefydlwyd hi gan Cadwaladr ap Madog ac Einion Clyd, Arglwydd Cantref Elfael, a rhoddwyd ychwaneg o diroedd iddi. Cafodd y rhoddion hyn ynghyd â rhoddion Gwenwynwyn o diroedd yn Llangurig a Llanidloes yn sir Drefaldwyn eu cadarnhau yn siarter Edward II.

I sawl ystyr, stori drist sydd i Abaty Cwm-hir, oherwydd ni chafodd ei chwlbhau, ond petai hi, yna hi fyddai'r abaty mwyaf yng Nghymru. Roedd pedwar bae ar ddeg yng nghorff yr eglwys a fesurai 256 troedfedd o hyd a 80 troedfedd o led, ac roedd chwech ar hugain o golofnau clystyrog i'w cael gyda chnapanau gwahanol ar bob un ohonynt.

Yn 1401 roedd Owain Glyndŵr a'i ddilynwyr yn gwersylla ar fynydd Hyddgant, ac oddi yno y gwnaeth ymosodiadau ar y Saeson oedd wedi ymsefydlu yng Nghymru ac yn erbyn y Cymry a wrthodai gefnogi ei achos. Fe ddioddefodd sir Drefaldwyn yn fawr yn yr ymgyrchoedd hyn; llosgwyd Trefaldwyn ac ardal y Drenewydd. Dinistriwyd Abaty Cwm-hir yn sir Faesyfed yn ogystal, ac nid oes unrhyw gofnod iddi gael ei hatgyweirio; ychydig o'i hanes sydd ar gael o'r amser hynny hyd ei diddymu yn 1536. Bryd hynny, nid oedd ond tri mynach yno. Yn 1538, aeth yr Abaty i feddiant John Turner, un o wŷr y brenin am bum mlynedd ar hugain, ac yna gwerthwyd yr holl eiddo gan y Goron i nifer o berchenogion. Yn 1542 roedd eglwys Llanidloes yn cael ei hadnewyddu ac aethpwyd â phump bae o Cwm-hir yno fel arcêd i rannu corff yr eglwys oddi wrth yr eil ogleddol. Gellir gweld y dyddiad 1542 wedi ei gerfio ar un o nifer o angylion sydd ar y trawstiau gordd. Yn ei lyfr *Topographical Dictionary* 1830 fe ddywed Lewis: *'An elegant screen from Abbey Cwm-hir, formerly separated the chancel from the nave, but was removed in 1816 when the chancel and south aisle were rebuilt and not restored'* ond mae'n amheus iawn mai sgrîn o Abaty Cwm-hir oedd honno.

Yn 1644 roedd yr Abaty'n cael ei ddefnyddio fel garsiwn gan Richard Fowler ar ran y brenin.

Erbyn heddiw, dim ond ychydig o'r muriau sy'n sefyll fel cofadail am y gogoniant a fu.

Ar ôl diddymu'r Abaty nid oedd man addoli i'w gael yn yr ardal hyd 1680 pan adeiladwyd eglwys fechan a gafodd ei chysegru i'r Forwyn Fair; roedd hynny'n fodd i'r eglwys gadw cysylltiad â'r hen Abaty. Defnyddiwyd cerrig o'r Abaty i'w hadeiladu. Erbyn 1865 roedd angen ailadeiladu'r eglwys, a hon yw'r eglwys a welir yn Cwm-hir heddiw. Ynddi y mae carreg a fu ar un amser yn gaead arch ac arni'r geiriau:

> *HIA JACET MABLI, CUJUS ANIMAE PROPITIETUR DEUS* (YMA Y GORWEDD MABLI, AR EI ENAID BYDDED DUW YN DRUGAROG).

Yn ôl ffurf y llythrennau mae'n debyg mai o gyfnod Edward II (1280-1327) y daw'r garreg. Darganfuwyd y garreg hon yn 1827 gan Mr Thomas Wilson, perchennog yr Abaty pan oedd yn cloddio yno.

Tra oedd yr eglwys newydd yn cael ei hadeiladu yn 1865 roedd yn fwriad i ddefnyddio tympanwm o'r abaty wrth ben y drws, ond yn anffodus fe'i torrwyd wrth iddo gael ei gludo yno, ac hyd heddiw, mae'n sefyll yng ngardd fferm Cwm-hir. Cerfiad o'r Gweddnewidiad sydd arno.

Yn 1824 roedd Thomas Wilson, gŵr busnes o Lundain wedi prynu'r Abaty, a dechreuodd gloddio'r safle. Yna, yn 1837 bu ymgais arall i gloddio yno, ond yn anffodus nid oes unrhyw adroddiad ar gael o'r cloddio hwnnw. Roedd Wilson yn amharod iawn i adael i neb fynd ar y safle oherwydd rhyw anghydfod ynglŷn â degwm.

Dim ond ychydig o'r muriau sydd wedi aros hyd heddiw, ag eithrio carreg i goffáu Llywelyn ap Gruffydd a fu farw yn 1282 mewn brwydr ym Muallt. Mae lle cryf i gredu fod ei gorff wedi'i gladdu yn yr Abaty. Ar y garreg ceir y geiriau 'Llywelyn ap Gruffydd Tywysog Cymru'.

Mae nifer fawr o gerfiadau wedi eu symud o'r Abaty a'u gosod ym muriau gardd Plasdy Cwm-hir, ac fe welir ambell un mewn tai eraill o amgylch yr ardal.

Dyma rai o'r cerfiadau a welir:

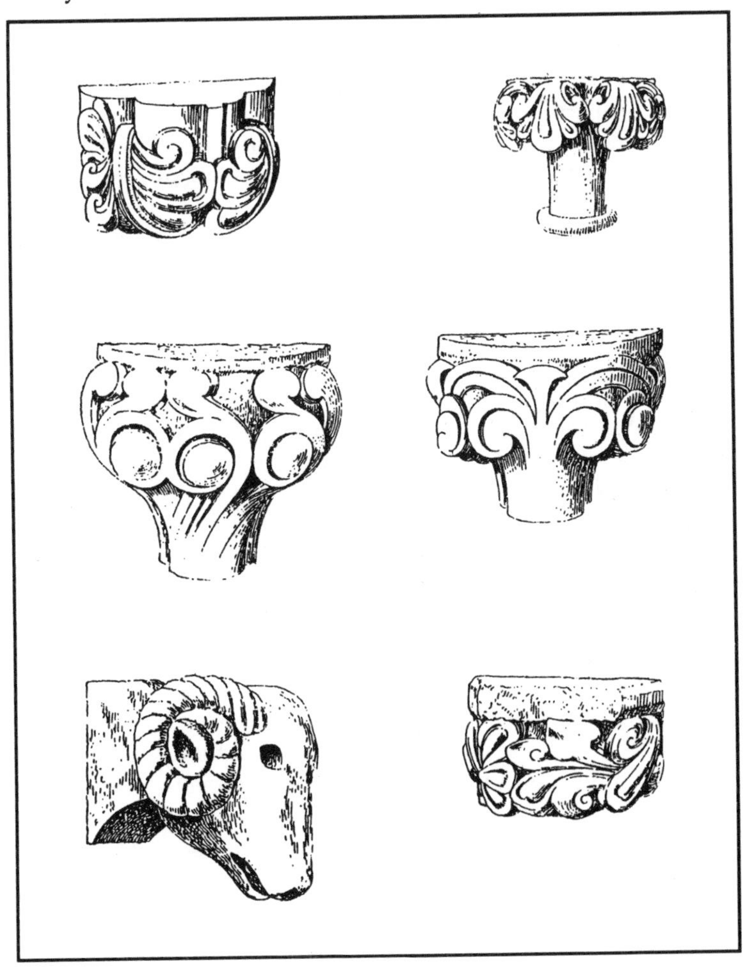

Abaty Ystrad Fflur, sir Ceredigion

Erbyn 1164, roedd yr Hendy-gwyn ar Daf o dan nawddogaeth y Normaniaid, ac felly mewn sefyllfa i godi mynachlog arall yng nghwmwd Pennardd yn sir Geredigion ar lan afon Fflur – man a adnabyddir hyd heddiw fel 'yr hen fynachlog'. Er hynny, byr fu arhosiad y mynaich yno, ac yn fuan iawn cawsent eu hunain ar drugaredd y sefyllfa wleidyddol wrth i'r Cymry, yn ôl *Brut y Tywysogion* uno i daflu ymaith iau'r Normaniaid.

Yn fuan ar ôl ymsefydlu yn Ystrad Fflur bu i'r mynaich arddel etifeddiaeth hanesyddol yr eglwys Gristnogol yng Nghymru, ac yn y traddodiad hwn y cadawsant y cronicl Lladin a fu hyd hynny yng ngofal gwŷr y clas yn Llanbadarn Fawr. Yn Llanbadarn Fawr yr oedd Rhigyfarch wedi cofnodi hanes Dewi Sant, ond yn fuan iawn roedd Ystrad Fflur wedi rhagori ar eglwys y clas. Yr *Annales* a gadwyd o flwyddyn i flwyddyn a ddaeth yn sail wedyn i'r cronicl a adnabyddir fel *Brut y Tywysogion*. Trwy hyn daethant yn geidwadwyr pwysig o draddodiadau diwylliannol y genedl.

Yn ei thro, daeth Ystrad Fflur hithau yn fam-fynachlog i Lantarnam yn 1179 a Rhedynogfelen ger Caernarfon yn 1186. Byr iawn fu eu harosiad yn Rhedynogfelen cyn iddynt ailsefydlu yn Aberconwy.

Daeth yr Hendy-gwyn ar Daf yn fam-fynachlog i Abaty Cwm-hir yn 1176, a Chwm-hir yn ei thro yn fam-fynachlog i Cymer yn 1198. Yn 1170 sefydlwyd Ystrad Marchell *(Strata Marcella)* ac o'r fan honno y sefydlwyd Abaty Glyn-y-groes yn 1201. Roedd gogledd Cymru felly wedi ei ddylanwadu'n drwm gan y Sistersiaid.

Daeth llwyddiant arbennig Ystrad Fflur trwy nodded hael yr Arglwydd Rhys a roddodd siarter i'r mynaich yn 1184 yn cadarnhau ei roddion iddynt ynghynt ac yn ychwanegu atynt. Tyfodd o nerth i nerth, a chadwodd ei theyrngarwch i'w noddwr cynnar ac mae amryw o dywysogion y Deheubarth wedi eu claddu yno.

Er gwaetha'i lwyddiant, yr oedd hefyd gyfnodau

trychinebus yn ei hanes trwy ymosodiadau arni, ac yn ymgyrchoedd Edward I fe'i llosgwyd ac yna yn 1284 fe'i llosgwyd eilwaith ar ôl cael ei tharo â mellten. Daeth y Pla Du (1348-49) â'i drafferthion drwy leihau nifer y mynaich a hefyd y *Bubonic Plague.* Yn ystod gwrthryfel Owain Glyndŵr fe gymrodd yr Abad ochr y Cymry, ac o ganlyniad meddiannodd y brenin yr abaty yn 1402 ac alltudio'r mynaich. Bu mwy o ddifrod i'r adeiladau ac ni fu llawer o lewyrch ar yr abaty wedyn.

Yn achlysurol yn ei hanes mae'n amlwg bod problemau disgyblaeth wedi bod y tu fewn i'r Abaty. Yn 1195 bu'n rhaid i rai o'r Brodyr Lleyg deithio i Clairvaux i'w cael eu disgyblu am iddynt wneud rhyw gam â'r Brodyr yn Abaty Cwm-hir tra roeddynt yn feddw. Canlyniad i hyn oedd i'r Cadibwl yn Citeaux orchymyn i fynachlogydd Cymru na ddylent ganiatáu yfed cwrw yn y grênsiau ac nad oeddynt i yfed unrhywbeth heblaw am ddŵr. Mae'n amlwg na roddwyd rhyw lawer o sylw i'r gorchymyn, oherwydd yn y flwyddyn ganlynol, bu raid i Abad yr Hendy-gwyn ar Daf ymweld ag Ystrad Fflur oherwydd rhyw gamymddygiad ymhlith y Brodyr Lleyg. Penderfynwyd na ddylid derbyn mwy o Frodyr Lleyg i'r fynachlog hyd nes iddynt lwyr ymwrthod â chwrw. Yn 1534 fe gyhuddwyd un mynach o fathu arian ffug!

Pan losgwyd yr Abaty mae un llawysgrif sy'n dyddio o'r flwyddyn 1295 yn adrodd hyn:

> *The Abbot of Strata Florida foolishly pronounced the King that on a certain day and at a certain time, he would bring the County of Cardigan into amity with the King, but when the King with an armed force was waiting for a very long time, no one of the Welshmen came to the appointed spot. Therefore, the King said 'Burn, Burn' and so the fire which never cries out 'enough' in like manner wrapped both the Abbey and the County in flame.*

Ar ymadawiad y mynaich a chwalu'r abaty fe wasgarwyd ei thrysorau a'i dodrefn a'r holl waith cerfiedig yn llwyr, ac yn yr

adfeilion roedd beddau Tywysogion Cymru.
Rhai o'r meini cerfiedig yn Ystrad Fflur:

Abaty Glyn-y-groes, Sir Ddinbych

Saif Abaty Glyn-y-groes ychydig filltiroedd o dref Llangollen yn Nyffryn Iâl, ac fel eraill o Abatai y Sistersiaid mae'n gorwedd yn un o ddyffrynnoedd godidocaf Cymru. Mae ei leoliad yn adlewyrchu'n berffaith ddyheadau'r Sistersiaid am lecyn tawel i gartrefu ynddo. Deillia'r enw o Golofn Eliseg, sydd heb fod ymhell ac yn dyddio o'r nawfed ganrif. Codwyd y golofn gan Cyngen mab Cadell, tywysog Powys i goffáu ei daid Elise. Camgymeriad ar ran y cerfiwr oedd torri'r gair 'Eliseg'.

Sefydlwyd yr Abaty yn 1201 gan Madog ap Gruffudd Maelor, rheolwr gogledd Powys, a daeth tri ar ddeg o fynaich o Abaty Ystrad Marchell ger y Trallwng yno i'w chychwyn.

Roedd gan yr Abaty diroedd lawer, ac erbyn canol y drydedd ganrif ar ddeg, eu defaid oedd yn dod â rhan fawr o'r incwm, ond deuai eu gwir incwm o ddegwm y plwyfi cyfagos a oedd bron yn 75 y cant o'u cyfoeth. Ond nid arian oedd y cyfan, ac ymhen blwyddyn o'i sefydlu fe gyhuddwyd yr Abad o esgeuluso gweinyddu'r Offeren. Cwyn arall yn gynnar yn ei hanes oedd bod yr Abad yn caniatáu i ferched ddod i'r Abaty.

Yn 1274 roedd yr Abad yn un o saith o abadau'r Sistersiaid a ysgrifennodd at y Pab yn amddiffyn enw da Llywelyn ap Gruffudd gan fod Esgob Llanelwy wedi dod ag achos yn ei erbyn. O ganlyniad i hyn daeth tiroedd yr Abaty'n darged parod yn rhyfeloedd Edward I.

Erbyn diwedd y drydedd ganrif ar ddeg roedd yr Abaty wedi dod yn bwysig yn hanes llenyddiaeth Cymru, ac yma yr ysgrifennwyd *Brut y Tywysogion* am y blynyddoedd 1282-1332.

Yn 1535, yr un oedd tynged Abaty Glyn-y-groes a gweddill abatai Cymru o dan Harri VIII. Dim ond chwe mynach oedd yno pan y diddymwyd ef. Cafodd rhai o'r llestri cymun eu gwerthu, ac anfonwyd rhai ohonynt i Lundain i gael eu toddi. Gwerthwyd y trysorau eraill yn y fan a'r lle ac aeth rhai o'r clychau i eglwysi yn sir Amwythig. Daeth Syr William Pickering yn berchennog ar yr Abaty ond roedd yn rhaid iddo, o dan ei brydles, roi'r plwm oddi ar y to i'r Goron. Unwaith yr oedd hyn wedi digwydd nid oedd ond dadfeilio i'w ddisgwyl, ac am ganrifoedd wedyn roedd y cerrig yn cael eu lladrata cyn i ran o'r adeilad gael ei ddefnyddio fel ffermdy. Erbyn y ddeunawfed ganrif dim ond adfeilion oedd yno.

Yma y claddwyd Madog ap Gruffudd Maelor, ac fe welir rhan o'i garreg fedd yn yr Abaty heddiw.

Y Pererinion

Mae pererindota wedi bod yn rhan bwysig o Gristnogaeth, ac yn wir, o grefyddau eraill ers y dyddiau cynnar. Nid oedd pellter na pheryglon y daith yn unrhyw rwystr. I'r Cristion, nerth yr Eglwys a'i sacramentau ac eiriolaeth y seintiau oedd yr unig ffordd i sicrhau iachawdwriaeth. Daeth grym y seintiau – yn arbennig seintiau brodorol a'r Forwyn Fair, i ddylanwadu ar grefydd. Roedd creiriau a oedd yn gysylltiedig â hwy megis esgyrn – dilys neu honedig, eu clychau, crosier, allorau, ffynhonnau neu lyfrau yn wrthrychau grymus a pharchus eithriadol. Os oedd person am sicrhau bywyd ysbrydol roedd yn rhaid mynd ar bererindod.

Wrth astudio ffynhonnau cawn ninnau heddiw gipolwg ar syniadau ac ar goelion a hyder y bobl cyn dyddiau Cristnogaeth – a oedd yn bwysig iawn i'r pererinion. Roedd y cwlt i hen dduwiau'r dŵr yn hwylus i'r Cristnogion cynnar hefyd i fedyddio'u haelodau ac i geisio gwellhad gwyrthiol. Yn aml iawn byddai'r ffynhonnau hyn wedi eu cysylltu ag un o'r seintiau cynnar, ac mae nifer fawr o ffynhonnau wedi eu cysylltu â'r Forwyn Fair. Roedd y ffaith fod y boblogaeth yn anllythrennog yn ei gwneud yn rhwydd i ofergoeledd ennill tir. Roedd y gred gyffredinol yn y goruwchnaturiol a gysylltid â'r creiriau sanctaidd o'r bumed ganrif hyd y bymthegfed ganrif yn nodwedd neilltuol o bererindota. Cymorth i gael iachawdwriaeth oedd pererindota, ac roedd yn fater i'w ystyried yn gydwybodol, ond nid oedd ymweld â'r mannau arbennig hyn yn ddigon ynddo'i hun; roedd yn rhaid arddangos rhinwedd Gristnogol.

Cymhelliad y pererinion cynnar oedd i ymweld â'r mannau hynny oedd yn gysylltiedig â digwyddiadau mawr y grefydd Gristnogol, megis genedigaeth a chroeshoeliad Crist.

Yng Nghymru roedd pererindota mor bwysig ag ydoedd mewn unrhyw fan arall. Dywedodd y Pab Calixtus II fod dwy bererindod i Dyddewi yn gyfystyr ag un i Rufain, a byddai tair yn cyfrif fel un i Gaersalem. Yn ei gywydd i Dewi Sant fe ganodd Lewis Glyn Cothi fel hyn:

Cystal o'm ardal i mi
Ddwywaith vyned at Dewi
A phe delwn cystlwm cain
O riv, unwaith i Ruvain
Myned deirgwaith arall yw
Am enaid, hyd y Mynyw
I mae'n cystal â myned
I vedd Crist unwaith vydd cred.

Roedd pererindod i Dyddewi'n bwysicach nag unrhyw fan arall, oherwydd dyma oedd cysegrfan Dewi, ond fe ddisgrifiodd yr Esgob Barlow yr arfer yn *'hotbed of superstition and idolatry'*. Cymaint yn wir ei wrthwynebiad i'r ffaith fod cannoedd, os nad miloedd o bererinion yn ymweld â'r eglwys fel iddo feddwl unwaith am symud ei Eglwys Gadeiriol i Gaerfyrddin. Ystyriai Tyddewi fel: *'a delicate daughter of Rome, naturally resembling her mother in shameless confusion, and like qualified with other perverse properties of excerable malignity'*.

Nid oedd unman yn rhy bell i fynd ar bererindod ac mae Gerallt Gymro, wrth sôn am ei ail daith i Rufain, yn dweud iddo weld nifer fawr o bererinion yno 'o'i wlad ei hun'.

Gwelodd ail hanner y bymthegfed ganrif hyd at y Diwygiad Protestannaidd gynnydd mawr yn y gwariant a wnaethpwyd ar yr eglwysi gan gynnwys adnewyddu, ehangu ac addurno. Roedd hyn yn arwydd pendant o'r balchder a ddangosai'r bobl yn eu haddoldai. Addurnwyd y ffenestri â gwydr lliw oedd yn dangos golygfeydd beiblaidd, a chafwyd ambell i 'ffenestr Jesse' yn dangos ach Crist a ddaeth i gymryd lle'r creiriau. Yn bwysicach na hyn i gyd o bosib oedd adeiladu llofftydd y grog a sgriniau. Yng Nghymru mae gennym enghreifftiau godidog a chywrain eithriadol o sgriniau er ein bod wedi colli llawer ohonynt adeg y Diwygiad Protestannaidd. Byddai cerflun o'r Crist croeshoeliedig gyda'r Forwyn Fair a Ioan ar y naill ochr a'r llall ar ben llofft y grog, a byddai cyfraniadau'r pererinion wedi ariannu rhai o'r rhain.

Gosodid pwyslais mawr ar y Dioddefaint; roedd y dirdynnu i'w weld yn amlwg yn y cerfiadau mewn cerrig a phren. Daeth sgrîn y Grog yn nodwedd arbennig mewn llawer o eglwysi cefn gwlad Cymru, a byddai llawer o'r rhain yn denu nifer fawr o bererinion megis Llangynwyd, Pen-rhys, Llanbeblig, Llaneilian, Rhuddlan a Thremeirchion. I'r grog ym Mhriordy Aberhonddu y canodd Hywel Dafydd ei gywydd i'r *Grog Aur yn Aber Hodni*. Cymaint oedd eu ffydd a'u hofergoeledd fel y byddai'r ffyddloniaid yn gweld y Forwyn Fair ar lofft y grog yn gwenu arnynt weithiau a thro arall yn wylo.

Cyfranogai'r Eglwys ei hun i fudiad y pererinion trwy fawrygu gwerth y creiriau a'r parch a ddylid ei ddangos tuag atynt ynghyd â'r maddeuant oedd i'w gael, gan fod mynd ar bererindod weithiau wedi ei osod fel cosb ar berson. Gwelent hefyd y byddai llif cyson o bererinion yn dod ag arian i'w coffrau, heb anghofio wrth gwrs am yr arian a geid am werthu pardynau. Bu'n rhaid aros tan 1536 cyn i'r arfer o ddwysbarchu creiriau a gwerthu pardynau gael ei wahardd, ac ar y cychwyn roedd gwrthwynebiad ffyrnig i'r gorchymyn. Fodd bynnag, agwedd yr esgobion a'r offeiriaid oedd yn penderfynu i ba raddau yr oedd y gwaharddiad yn llwyddiannus. Ond yn 1538 roedd angen gorchymyn cryfach a oedd yn gwahardd y bobl *'to repose their trust in wanderings to pilgrimages, offer of money, candles or tapers to images or relics, or kissing or licking the same, or saying over a number of beads not understood or minded on'*. Roedd goleuo cannwyll o flaen delweddau hefyd i'w wahardd. Awgrymir na wnaeth y gwaharddiadau hyn lawer o argraff yng Nghymru gan nad oedd y bobl yn deall Saesneg.

I'r bobl gyffredin roedd y gwaharddiadau hyn, ynghyd ag atal gweddïo dros y meirw yn gyfystyr â cholli yr hyn oedd iddynt gynt yn ganllawiau gwerthfawr yn eu bywydau caled. Bu pererindota, dwysbarch at greiriau a ffynhonnau yn rhan bwysig iawn o'u bywydau ers canrifoedd.

Roedd pererindod i Ynys Enlli yn boblogaidd iawn, ac yn wir, y mae'n dal yn boblogaidd hyd heddiw gydag Esgob Bangor yn trefnu teithiau yno yn achlysurol. Ar eu ffordd i Enlli byddai'r pererinion yn galw yn eglwys Clynnog ac wrth fedd Beuno Sant. Yn 1589 ffieiddiodd un ymwelydd â Chlynnog at yr hyn a welodd ac a glywodd yno:

> *. . . the abominable idolatries; the sacrifice of bullocks to Saint Beuno; the open carrying of rosaries by church people who claimed to read upon them as well as others can read a book; calling on saints or idols to help them in all extremities, and above all, the sign of the cross was almost superstitiously made among them abused – when closing windows leaving livestock in the fields, and buring their dead.*

Roedd yr ofergoelion hyn yn dal yn fyw pan oedd Thomas Pennant ar ei daith drwy'r Gogledd yn 1783. Pan alwodd yn eglwys Clynnog gwelodd fachgen o sir Feirionnydd wedi'i roi i orwedd dros nos ar wely plu ar fedd Beuno – hynny wedi iddo gael ei olchi â dŵr o ffynnon gerllaw yn gyntaf. O Glynnog roedd ffordd y pererinion yn arwain heibio ffynnon Aelhaearn ar lethrau'r Eifl. Yn y bwlch uwchben Nant Gwytheyrn gallai'r pererinion gael bwyd a lloches mewn llety a godasid ar eu cyfer ac yna ymlaen at ffermdy'r Pistyll. Roedd y ffermdy hwn yn rhydd o'r degwm ar yr amod bod croeso i'r pererinion yno. Oddi yno arweiniai'r ffordd drwy Nefyn ac ymlaen i Aberdaron a chroesi'r Swnt i Enlli. Wrth i Pennant groesi'r Swnt sylwodd fod y *'mariners seemed tinctured with the piety of the place, for they had not rowed far, but they made a full stop, pulled off their hats, and offered up a short prayer'.*

Pennant Melangell

Eglwys Pennant Melangell c.1830

Mae ambell un o lwybrau'r pererinion yn dal yr un mor boblogaidd heddiw ag yr oeddynt yn ystod y ddeuddegfed ganrif, ac mae nifer y pererinion yn dal i gynyddu o flwyddyn i flwyddyn. Un o'r mannau hynny yw Pennant Melangell, ac fe saif eglwys y Santes Melangell mewn mangre unig a phrydferth ym mhen uchaf Dyffryn Tanat ym mynyddoedd y Berwyn. Mae'n ddiddorol cofio mai eglwys y pererinion oedd hon o'r cychwyn ac mai yn Llangynog y mae eglwys y plwyf.

Mae hanes yr eglwys hon wedi bod yn debyg i hanes nifer o eglwysi Cymru, ac mae ei chyflwr o dro i dro wedi bod yn druenus iawn. Erbyn 1987 roedd ei chyflwr yn galw am waith mawr os oedd yr adeilad i'w gael ei gadw. Y bwriad oedd tynnu'r to i ffwrdd a gadel i'r tywydd orffen y difrod, ond yng ngwyneb gwrthwynebiadau lawer llwyddwyd i'w hachub; bu gweithio diwyd arni o 1988 hyd 1992 ac erbyn heddiw mae'r eglwys yn addurn hyd yn oed i brydferthwch unigryw Dyffryn Tanat, a'i dyfodol yn ddiogel. Cynhelir gwasanaethau ynddi'n ddyddiol drwy gydol y flwyddyn.

Ceir y cyfeiriad cyntaf at eglwys Pennant Melangell yn y *Norwich Taxatio* c.1254 sydd yn nodi gwerth yr eglwys, sef £1.40. Erbyn 1291 mae'r *Lincoln Taxatio* yn dangos fod ei gwerth ychydig dros £10.00, ac mae'n debyg mai'r rheswm am y cynnydd oedd poblogrwydd cwlt Melangell a'r cynifer o bererinion a droediai'r ffordd tuag ati i addoli ac i chwilio am feddyginiaeth. Ond erbyn y 1660au roedd ei gwerth i lawr unwaith eto a hynny, mae'n debyg oherwydd effeithiau'r Diwygiad Protestannaidd.

Dengys archwiliadau archaeolegol fod eglwys ar y safle hwn ers y ddeuddegfed ganrif. Fe adeiladwyd nifer fawr o eglwysi yn y cyfnod hwnnw gan gynnwys rhai Llanyblodwel, Llansantffraid-ym-Mechain, Llanfechain, Llanfair Caereinion a Meifod i enwi ond ychydig sydd heb fod ymhell o Bennant Melangell.

Tu fewn i'r eglwys fe welir y greirfa Romanésg gynharaf i oroesi yng Ngogledd Ewrop.

Yn dilyn dyddiau Harri VIII roedd cwlt Melangell o dan fygythiad ffyrnig, ac yn 1561 roedd Esgob Llanelwy yn rhoi gorchymyn i'r offeiriad:

> *. . . that every of them shall for forthwith . . . remove and put away . . . all and every fayned relyques . . . within ther severall churches, and abolyshe ther auters yn the same, within eight days.*

Mae'n rhesymol meddwl felly mai dyma'r cyfnod y chwalwyd crair Melangell a hefyd pryd caewyd 'Cell y Bedd', sef y fan, yn ôl traddodiad, yr oedd Melangell wedi ei chladdu yn y talcen crwn ym mhen ddwyreiniol yr eglwys. Cyn diwedd yr ail ganrif ar bymtheg defnyddiwyd rhannau o'r greirfa i adeiladu porth y fynwent ac i atgyweirio muriau'r eglwys.

Rhwng 1989 a 1992 fe ailadeiladwyd y talcen crwn yn ogystal â chreirfa Melangell a'i gosod y tu ôl i'r allor.

Er mai ychydig a wyddom am y Santes Melangell, y mae un agwedd o'i bywyd yn hysbys iawn ac wedi dod yn rhan o'n traddodiad gwerin. Pan oedd Brochwel Yscythrog, Tywysog Powys yn hela ym mynyddoedd y Berwyn fe gododd un o'i helgwn ysgyfarnog. Fe aeth y Tywysog a'i helwyr ar ei hôl ac yn nyffryn Pennant dihangodd yr ysgyfarnog i lwyni pigog gyda'r helgwn yn ei dilyn o hyd. Dilynodd y Tywysog y cŵn a darganfod merch ieuanc brydferth ar ei gliniau mewn gweddi a'r ysgyfarnog yn ymguddio ym mhlygiadau ei gwisg. Gorchmynnodd y Tywysog i'w helwyr yrru'r cŵn ar ei hôl ond pan geisiodd un o'r helwyr chwythu ei helgorn fe lynodd wrth ei wefusau a methodd ei chwythu. Sylweddolodd Brochwel ei fod ym mhresenoldeb person arbennig iawn a gofynnodd iddi am ba hyd yr oedd wedi bod yno a beth oedd ei henw. Atebodd hithau a dweud mai Monacella (Melangell), merch y Brenin Iochwel o'r Iwerddon ydoedd. Esboniodd ei bod wedi dianc o lys ei thad er mwyn osgoi priodi'r gŵr yr oedd ei thad wedi dewis ar ei chyfer, a'i bod hi wedi bod yn byw mewn ogof ar y Berwyn o dan ofal Duw ac yn treulio'i dyddiau mewn myfyrdod a gweddi. Rhyfeddodd Brochwel at ei phrydferthwch, ac am ei fod yn pryderu am ei diogelwch rhoddodd ddarn o dir iddi yn ymyl ei chell a'i ddynodi'n seintwar fel na ddeuai unrhyw ddyn i'w halogi. Am yn agos i ddeugain mlynedd bu Melangell yn byw yno'n heddychlon; aethai'r ysgyfarnogod i gyd ati i ymddofi a byddent yn ei dilyn fel ŵyn. Sefydlodd leiandy i ferched oedd yn barod i ymgysegru eu bywydau i weddi. Wedi hynny, bu Dyffryn Pennant yn seintwar i'r truenus ac adnabuwyd yr ysgyfarnogod fel 'ŵyn bach Melangell'. Am ganrifoedd bu trigolion yr ardal yn rhy ofergoelus i ladd unrhyw ysgyfarnog ar dir y seintwar. Yng nghofnodion yr eglwys yn 1723 gwelir y geiriau a ganlyn:

Mil engyl a Melangell
Trechant lu fyddin y fall

Aralleiriad o'r geiriau yna a welir weithiau yw:

Engyl a ffon Melangell
Trechant lu fyddin y fall

O'r holl drysorau sydd i'w canfod yn yr eglwys hynafol hon, y sgrîn sy'n dyddio o ddiwedd y bymthegfed ganrif yw'r trysor mwyaf. Mae wedi ei newid a'i symud laweroedd o weithiau ers y dyddiau hynny ac fe'i gosodwyd yn ei safle bresennol yn 1991.

Yn 1837 teithiodd y Parchedig John Parker (1798-1860) i Bennant Melangell i wneud darlun manwl o'r sgrîn fel ag yr oedd yr adeg honno. Yr hyn sydd yn gwneud y sgrîn hon yn arbennig yw ei bod yn adrodd chwedl Melangell yn y cerfiadau sydd ar y ffrîs. Arni, fe welir Brochwel Yscythrog, Tywysog Powys yn eistedd ar gefn ei geffyl â'i ddwy law ar led ac yn chwifio'i gleddyf, mae'n gwisgo tiwnig tun ac mae ffrwyn ym mhen y ceffyl. Gwelir coron ar ei ben (mae Parker yn dweud mai cap oedd ar ei ben ond roedd y goron wedi'i gorchuddio yr adeg honno). Gwelir yr heliwr yn hanner penlinio ac y mae yntau'n gwisgo tiwnig ac esgidiau ac yn ceisio chwythu'i helgorn (mae rhan o'i goes wedi diflannu ers dyddiau Parker). Yn y canol gwelir Melangell mewn gwisg laes ac yn eistedd ar glustog; y mae llen dros ei hwyneb. Dalia lyfr yn ei llaw dde, ac yn ei llaw chwith mae crosier (y mae'r pen deiliog wedi ei golli erbyn hyn). Yna gwelir yr ysgyfarnog yn rhedeg drwy'r drain at Melangell a chŵn Brochwel yn taranu ar ei hôl. Ar un ochr i'r sgrîn hefyd fe welir cerfiad o'r 'Gŵr Gwyrdd' mytholegol gyda brigau a dail yn dod allan o'i enau.

Yn ei ddisgrifiad o'r sgrîn mae Parker yn dangos y lliwiau oedd i'w gweld yn eglur yn ei ddyddiau ef ond sydd heddiw wedi eu paentio drosodd. Mae nifer o'r rhannau gwreiddiol wedi eu colli, ond yn ffodus iawn mae ffrîs Melangell wedi ei gadw. Diddorol hefyd yw nodi fod cerfiad o'r ysgyfarnog wedi'i ddarganfod ar gerrig beddau hynafol yn Abaty Glyn-y-groes, ac ym mynwentydd Llanyblodwel, Llanelwy ac Ysbyty Ifan.

Roedd yr ysgyfarnog yn anifail poblogaidd iawn yn nyddiau'r Celtiaid.

Er yr hyn oll sydd wedi digwydd i'r sgrîn hon dros y canrifoedd mae'n hawdd ei chydnabod fel un o drysorau eglwysig unigryw Cymru.

Eglwys Llandderfel

Yr oedd yn sir Feirionnydd hefyd atyniad arbennig i'r pererinion oherwydd yno, yn eglwys Llandderfel ger y Bala safai delw o Derfel Gadarn.

Yn 1538 roedd yr Esgob William Barlow yn ymfalchïo yn y ffaith iddo ddinistrio cannwyll enwog yn Hwlffordd a oedd, yn ôl y rhai ofergoelus, yn llosgi heb leihau. Ar yr un pryd roedd y Doctor Elis Prys (y Doctor Coch), un o ddirprwyon Thomas Cromwell, yn gweithio yr un mor lawdrwm a thrwyadl yn Llandderfel. Roedd yntau hefyd yn ymhyfrydu wrth ysgrifennu at ei feistr gan adrodd fel yr oedd wedi dinistrio delw Derfel Gadarn.

Fel ym mhob rhan o Gymru daeth y Diwygiad Protestannaidd i Feirionnydd yn y 1530au, ond roedd ei lwyddiant yn dibynnu i raddau helaeth iawn ar ffactorau lleol. Esgobaeth Llanelwy oedd un o'r esgobaethau mwyaf Catholig yn y wlad yn ystod yr unfed ganrif ar bymtheg, a bu'n rhaid i Brotestaniaeth – y grefydd newydd – ymladd yn galed i ennill ei thir yn erbyn yr hen arferion crefyddol ac ofergoeliaeth. Teimlai'r bobl eu bod wedi colli'r fagl oedd wedi bod yn eu cynnal am ganrifoedd. Nid rhyfedd felly fod dinistrio delw Derfel Gadarn wedi achosi loes garw iddynt.

Achosodd gwrthryfel Owain Glyndŵr ddifrod mawr mewn sawl man yng Nghymru a chafodd amryw o eglwysi, a hynny'n cynnwys yr Eglwysi Cadeiriol, eu dinistrio. Ond yn ystod ail hanner y bymthegfed ganrif daeth rhyw adfywiad yn y bywyd eglwysig wrth i'r eglwysi gael eu hailadeiladu. Dyma gyfnod adeiladu rhai o'r sgriniau godidog, ac mae llawer ohonynt, gan gynnwys un Llandderfel, yn dal mewn bodolaeth. Yn sgîl hyn daeth pererindota i'r Grog yng Nghaer, Ffynnon Gwenffrewi a delw Derfel Gadarn, er enghraifft, yn bwysig unwaith eto a gwelai'r pererinion eu hachubiaeth yn eu gafael drwy ymweld â'r mannau hyn. Roedd addoli'r delwau'n rhan hanfodol o grefydd yr Oesoedd Canol, ac roedd addoli wrth ddelw Derfel Gadarn yn rhan o hyn.

Ychydig a wyddom am Derfel Gadarn. Dywedir iddo gael ei gladdu ar Ynys Enlli, ond gwyddom fod pererindod i'w eglwys yn Llandderfel yn boblogaidd iawn ar drothwy'r Diwygiad Protestannaidd. Roedd rhinweddau arbennig yn cael eu priodoli iddo i achub dyn ac anifail. Cymaint oedd ffydd y bobl ynddo fel iddynt geisio'n galed i'w achub rhag iddo gael ei ddinistrio yn 1538. Pan ymwelodd Dr Elis Prys â Llandderfel yn ystod y flwyddyn honno roedd pererindota'n dod ag elw sylweddol i'r eglwys. Fe gynigiodd yr offeiriad a'r plwyfolion swm o £40 i Dr Prys am gael cadw'r delw – swm mawr iawn yn y dyddiau hynny. Cafodd yr eglwys ei hadfer yn sylweddol oddeutu 1500, ac mae'n sicr y byddai offrwm y pererinion wedi bod yn gymorth mawr i hyrwyddo'r gwaith.

Un o rinweddau'r ddelw yn ôl traddodiad oedd y gallai achub eneidiau o dân uffern, ac oherwydd hyn byddai rhai cannoedd o bobl yn ymgyrchu ato'n ddyddiol ac yn offrymu gwartheg, ychain a cheffylau neu arian. Yr oedd cymaint â 500 neu 600 wedi ymgynnull yno ar 5 Ebrill, 1538 – diwrnod cyn i Dr Prys ysgrifennu at Thomas Cromwell gan ddweud y geiriau hyn:

> *. . . that notwithstanding there ys an image of Dervelgadarn within the saide diosece, in whome the people have so greate confidence, hope and truste, that they cumme dayly a pilgrimage unto hym, somme with kyne, other with oxen or horsis, and the rest withe money, in so muche ther was fyve or syxe hundrethe pilgrames to a mans estimacion, that offered to the saide Image the fifth daie of this presente monethe of Aprill. The innocente people hathe been sore alured and entisid to worshippe the saide Image, in so much that there is a commyn sayinge that as yet amongist them, that who*

so ever will offer anie thinge to the saide Image of Dervellgadarn he hathe power to fetch hym or them that so offers oute of Hell when they be dampned. Therefore, for the reformacion and amendmente of the premisses, I would gladlie know by this berer your honourable pleasure and will, as knowithe God, who ever preserve your Lordshipe longe in welthe and honor. Written in Northe Wales the vj daye of this presente Aprill.

Your bedman and daylie orator by dutie,
Elis Price.

Yn ei gyfrolau gwerthfawr *The Histry of the Diocese of St Asaph* mae'r Archddeacon D.R. Thomas yn awgrymu mai dod â'u hanifeiliaid i'w gwella neu i'w bendithio gan Derfel Gadarn yr oedd y pererinion ac nid i'w cynnig yn offrwm.

Gorchymyn Thomas Cromwell i Dr Prys oedd iddo dynnu delw Derfel Gadarn i lawr a'i anfon i Lundain. Roedd Dr Prys yn barod iawn i gydymffurfio â gorchymyn ei feistr, oblegid yn ei lythyr ato sydd wedi ei ddyddio 28 Ebrill, 1538, y mae'n adrodd ei fod wedi cael cynnig £40 i beidio â'i dorri, ac y byddai'n dod â'r delw i Lundain. Sonia hefyd iddo'i losgi'n gyhoeddus yn Smithfield ym mis Mai ynghyd â'r Brawd Forest, un o gyn-gyffeswyr i'r Frenhines Catherine a oedd wedi ei ddedfrydu i'w gael ei losgi am iddo wrthod derbyn goruchafiaeth y brenin. Yn ôl rhai ar y pryd roedd llosgi delw Derfel Gadarn yn gwireddu'r gosodiad y byddai Derfel rhyw ddydd yn *'set a whole forest on fire'!*

Ond er i delw Derfel Gadarn a sawl delw arall gael eu chwalu ledled Cymru, roedd pererindota'n dal yn bwysig iawn. Roedd chwalu'r mynachdai, dinistrio'r delwau, a dinoethi'r eglwysi, yn ymddangos fel bod y Ffydd Newydd yn ceisio chwalu unwaith ac am byth yr hyn yr oedd y bobl wedi'i ystyried yn hollbwysig i'w bywydau. Er i Derfel Gadarn gael ei dorri i ffwrdd oddi ar ei geffyl fe welir ei geffyl hyd heddiw ym mhorth yr eglwys yn Llandderfel fel arwydd o gryfder teimladau ac ofergoeliaeth y pererinion cynnar.

Ond nid ceffyl Derfel Gadarn yw'r unig drysor yn yr eglwys.

Gellir gweld sgrîn yno sy'n dyddio o ddiwedd y bymthegfed ganrif. Ym mhob bae o'r sgrîn yr oedd sedd ac roedd gan berchnogion y seddau hyn hawl i gladdu oddi tanynt. Os defnyddid arch i gladdu, yna roedd yn rhaid aros am un mlynedd ar bymtheg cyn ailagor y bedd, ond os nad oedd arch wedi'i ddefnyddio, yna wyth mlynedd fyddai'r cyfnod. Gelwid y trawst ar waelod y sgrîn yn 'Pren Pymtheg', a hynny yn cyfeirio at hyd y gangell. Yr oedd lle i oddeutu trigain o bobl eistedd yn llofft y grog, ond ar ddiwedd y ddeunawfed ganrif fe dynnwyd y llofft i lawr a defnyddiwyd un ochr ohoni ar flaen galeri yn rhan orllewinol yr eglwys, ond roedd y pensaer a oedd yn gyfrifol am atgyweirio'r eglwys yn ddiweddarach yn ddigon doeth i'w gosod yn ôl unwaith eto uwchben y sgrîn. Mae dail a blodau wedi'u cerfio'n gywrain ar yr ochr orllewinol. Ceir pump ar hugain o baneli uwchben y sgrîn, ond nid yw'r ochr ddwyreiniol mor gywrain â'r ochr orllewinol – pan oedd llofft y grog yn ei lle nid oedd yr ochr honno yn y golwg. Mae rhifau Rhufeinig i'w gweld ar bob panel, ond nid ydynt mewn trefn. A yw'r paneli wedi eu gosod yn ôl yn anghywir ar un adeg neu ai marciau'r hen grefftwyr ydynt?

Ffynnon Gwenffrewi, Treffynnon, sir Fflint

Roedd amryw o ffynhonnau'n gysylltiedig â'r pererinion ac mae llawer ohonynt yn dal i fod yn boblogaidd hyd heddiw.

Yn 1774 roedd Dr Samuel Johnson a Mrs Thrale ar daith yng ngogledd Cymru am fod Mrs Thrale wedi etifeddu Bachegraig, ac yn naturiol iawn, roedd wedi dod i weld ei heiddo. Roedd y ddau ohonynt wrth Ffynnon Gwenffrewi ar y trydydd o Awst y flwyddyn honno, a syndod mawr i Dr Johnson oedd gweld bod y ffynnon yn hollol agored a bod gwraig yn ymdrochi'n noeth ynddi tra oeddynt hwy'n edrych arni! Fe rydd Mrs Thrale ddisgrifiad mwy manwl o'r achlysur yn ei dyddiadur hithau am y diwrnod. Ei phryder mawr oedd sylwi fod Piwritaniaeth yn ei sêl ddinistriol wedi malurio delw Gwenffrewi, a bod tair o'r colofnau o gwmpas y ffynnon a oedd gynt yn cario delwau wedi'u malurio, a'r cerrig yn gorwedd ar waelod y ffynnon. Sylwodd hefyd fod rhai o'r cerrig yn y ffynnon wedi eu staenio'n goch a bod y Pabyddion, meddai, yn credu'n gydwybodol mai gwaed Gwenffrewi oedd yn gyfrifol am y staenio.

Yn ôl traddodiad, gweithiai Gwenffrewi yn ymyl eglwys Beuno, ei hewythr. Roedd y Tywysog Caradog hefyd yn teithio yn yr ardal, a phan welodd Gwenffrewi, gofynnodd am fwyd a diod ganddi. Ond pan sylwodd Gwenffrewi fod ei ymddygiad yn mynd yn fwy rhywiol, dihangodd gan redeg at yr eglwys. Yn ei wylltineb, rhedodd Caradog ar ei hôl a thorri ei phen i ffwrdd. Gorffwysodd ei phen wrth fur yr eglwys a daeth Beuno yno a'i osod yn ôl fel mai dim ond craith fach wen oedd i'w weld. Bu Gwenffrewi fyw am bymtheg mlynedd wedyn. Torrodd ffynnon allan o'r fan lle arhosodd y pen – Ffynnon Gwenffrewi.

Codwyd adeilad sylweddol ar y safle, ac mae pererinion yn dal i fynychu'r fan ac yn parhau i gredu fod iachâd i'w gael o ddŵr y ffynnon. Hon yw'r unig gysegrfan ym Mhrydain sydd wedi cael traddodiad di-fwlch o bererindota hyd heddiw, ac mae'n symbol o'r ffydd Babyddol yng Nghymru. Mae'r adeilad presennol yn dyddio o ddiwedd y bymthegfed ganrif.

Mae'r beirdd wedi canu iddi ers canrifoedd. Yn 1823 cyhoeddwyd cerdd gan fardd anhysbus yn *Hynafion Cymreig* (P. Roberts):

Ar ei banciau gellir gweled
Amryw gannoedd o glaf weiniaid
Gwedi dyfod ar ffyn-baglau
Ond yn gallu rhedeg adre'
Ar y ceryg, yn y ffynnon
Mae y gwaed yn amlwg ddigon,
Rhwn a gollodd Winiffreda
Pan ga'dd ei phen ei dorri yma

Y mae cwlt y ffynnon yn dynodi'r parchedig ofn a

ddangosai'r crefyddwyr cynnar tuag atynt. Cyn dyddiau Cristnogaeth byddai ffynhonnau, llynnoedd ac afonydd yn cael eu hystyried fel duwiau â defodau arbennig megis aberthu, ffrwythlondeb a dewiniaeth yn gysylltiedig â hwy, ac onid ydym ni hyd heddiw, yn taflu arian i bron bob ffynnon a welwn yn y gobaith y daw â lwc i'n rhan?

Roedd agwedd yr Eglwys tuag at bethau o'r fath yn cael ei egluro yng ngorchymyn Sant Awgwstin wrth iddo drawsnewid yr hen ddefodau paganaidd *'into a Christian solemnity'* a'r temlau paganaidd yn eglwysi, ond roedd aberthu anifeiliaid i barhau – ond fel *'Christian banquets to the praise of God'*. Er fod y delwau paganaidd i'w dinistrio roedd am buro'r hen adeiladau gyda 'dŵr swyn' y ffynhonnau. Nid rhyfedd felly fod y ffynhonnau wedi bod yn bwysig i'r pererinion a bod cymaint ohonynt yn gysylltiedig â hwy. Byddai dŵr y ffynnon yn cael ei ddefnyddio ar gyfer bedydd ac mae'r arferiad hyn mor fyw ag erioed mewn nifer o eglwysi hyd heddiw.

Yn ei lyfr *The Holy Wells of Wales* mae Francis Jones yn dangos fod o leiaf 437 o ffynhonnau'n dwyn enwau seintiau a bod oddeutu 65 eraill yn dwyn enwau sy'n gysylltiedig ag arferion Cristnogol yng Nghymru.

Rhaid cofio, fodd bynnag, nad daioni'n unig a gysylltir â ffynhonnau, ond melltithio yn ogystal. Roedd Ffynnon Elian yn Hen Golwyn yn enwog iawn yn ei ddydd fel ffynnon i felltithio, swyngyfareddu ac achosi difrod mawr. Dywedir bod gwraig a ofalai am y ffynnon ar ddiwedd y ddeunawfed ganrif yn gwneud elw o £300 y flwyddyn ohoni. Cafodd y ffynnon hon y fath enw drwg fel y bu'n rhaid i Reithor y Plwyf ei chau, ond dywedir hefyd ei bod yn cael ei defnyddio'n llechwraidd i felldithio mor ddiweddar â 1871.

Blynyddoedd 1500-1800

(i) Harri VIII a'r Diwygiad Protestannaidd

Nid dilyniant naturiol yn hanes crefydd oedd y Diwygiad Protestannaidd, nac ychwaith gwrthryfel yn erbyn pabyddiaeth. Nid ymateb i ofynion poblogaidd oedd y chwyldro mawr yma yn hanes crefydd ym Mhrydain, ond yn hytrach, roedd yn ganlyniad i broblem briodasol Harri VIII.

Wedi i'r Pab wrthod diddymu priodas Harri a Chatrin o Aragon fe dorrwyd pob cysylltiad â Rhufain a daeth Harri'n unig ben ar yr eglwys. Yn ôl geiriau Thomas Cromwell yr oedd Harri wedyn yn mynd i fod '*. . . the richest Prince in Christendom*'.

Yn 1536 a 1539 gwnaed deddfau i ddiddymu'r mynachlogydd, ac yn 1538 tynnwyd y creiriau i lawr i'w cael eu chwalu, a chymerwyd y trysorau oddi arnynt. Hefyd, yn 1547, y flwyddyn y bu farw Harri, cafwyd wared â nifer o seremonïau'r Eglwys ganoloesol a rhoddwyd gorchymyn i dynnu pob delw i lawr oddi ar y muriau a'r ffenestri. Canlyniad i hyn oedd i'r muriau gael eu gwyngalchu i guddio'r paentiadau. Fel mae'n digwydd, yn anfwriadol, sicrhaodd hyn iddynt gael eu cadw.

Er i'r Eglwys dorri cysylltiad â Rhufain, roedd Harri VIII yn dal at yr egwyddorion pabyddol ac yn amharod iawn i dderbyn unrhyw newid, ac ar ôl ei farwolaeth yn 1547 y daeth Protestaniaeth yn swyddogol, a chafodd y *Llyfr Gweddi Cyffredin* ei ddefnyddio gyntaf yn 1549.

Ond yn 1553 daeth y Frenhines Mari ar yr orsedd ac ailsefydlu Pabyddiaeth. Dechreuwyd cyfres o erlyniadau crefyddol yn ystod yr un flwyddyn, a daeth Mari i'w chael ei hadnabod fel 'Mari Waedlyd'. Roedd daliadau penboeth ac eithafol ei chefnogwyr, ac amhoblogrwydd ei phriodas â Philip, mab yr Ymerawdwr Siarl V o Sbaen yn gwrthweithio i'w hamcanion. Ar farwolaeth Mari yn 1558 daeth Elisabeth I i'r orsedd, ac o ganlyniad, cafodd yr Eglwys Anglicanaidd ei sefydlu ar seiliau cadarn. Yn 1559 cyhoeddwyd fod argraffiad diwygiedig o'r *Llyfr Gweddi Cyffredin* i'w ddefnyddio ym mhob eglwys, ac roedd dirwy wythnosol i'w osod am beidio â mynychu gwasanaethau'r Eglwys.

Gwelodd yr unfed ganrif ar bymtheg newidiadau crefyddol digyffelyb – yn cynnwys chwalu llawer o hen ddefodau. Dyma hefyd oedd y cyfnod a welodd y plwyf yn cael ei sefydlu fel uned o lywodraeth leol, ac felly mwy a mwy o feichiau'n cael eu gosod ar ysgwyddau'r Wardeniaid. Pwysai'r offeiriaid ar y plwyfolion i gyfrannu ac i ofalu am y tlodion, a daeth Goruchwylwyr y Tlodion yn wŷr pwerus yn eu plwyfi gan weithredu'n haearnaidd iawn ar adegau.

Yn 1550 rhoddwyd gorchymyn i gael gwared â'r hen allorau cerrig a rhoi byrddau'r Cymun yn eu lle yng nghanol y gangell fel y byddai'r gynulleidfa'n medru dod atynt o bob ochr. Pan oedd eglwys Llansilin yn cael ei hatgyweirio yn 1890 cafwyd hyd i ran o'r hen allor garreg a dwy groes wedi eu cerfio arni o dan llawr y gangell. Erbyn hyn, mae'n cael ei ddefnyddio fel silff i'r ffenestr ddeheuol agosaf at yr allor.

Gydag ailargraffiad o'r *Llyfr Gweddi* yn 1552 fe ddiddymwyd nifer o'r seremonïau a oedd yn dal i fod, yn ogystal â'r urdd-wisgoedd a'r gweddill o'r delweddau ofergoelus oedd heb eu tynnu i lawr ar ôl y gorchymyn cyntaf.

Yn dilyn eithafiaeth ac erlyniaeth Mari Waedlyd gwnaed ymdrech deg i ailgymodi'r gwahanol raniadau yn yr Eglwys, a chyflwynwyd nifer o waharddiadau er mwyn gofalu na fyddai'r eithafwyr yn medru cael rheolaeth yn eu dwylaw eu hunain byth eto.

Roedd sgrîn y gangell i'w gadael yn ei lle ond roedd yn rhaid tynnu'r groes a'r delwau i lawr, ynghyd â llofft y grog a ddefnyddid gan y côr. Mewn rhai eglwysi fe ailadeiladwyd llofft y grog ar yr ochr orllewinol i'r eglwys ar gyfer y côr. Roedd Bwrdd y Cymun i'w gadw yn erbyn y wal ddwyreiniol ag eithrio yng ngwasanaeth y Cymun pryd yr oedd i'w symud i ganol y gangell.

Wrth i'r cynulleidfaoedd ddod yn fwy llythrennog roedd y Credo, y Deg Gorchymyn a Gweddi'r Arglwydd yn cael eu paentio ar y waliau yn lle'r lluniau a ystyrid gynt yn gyntefig ac yn ofergoelus.

(ii) 1600-1700

Er gwaetha'r newidiadau sylweddol a ddigwyddodd yn syth ar ôl y Diwygiad Protestannaidd roedd eglwys y plwyf yn dal i fod yn ganolfan grefyddol, gymdeithasol a diwylliannol i'r gymuned, ond roedd yn eglwys dra gwahanol. Roedd presenoldeb cyson yn y gwasanaethau yn awr yn orfodol, ac absenoldeb yn drosedd i'w ddwyn o flaen Llys Eglwysig:

> *. . . all and every person and persons inhabiting within this realm or any other the Queen's Majesty's dominions shall resort to the parish church . . . upon every Sunday and other days ordained and used to be kept as Holy Days, and then and there to abide orderly and soberly during the time of Common Prayer, preachings or other service of God there to be used and ministered. (Act of Uniformity, 1559.)*

Roedd gofalu bod y ddeddf yn cael ei chadw yn anodd – yn enwedig yn y mannau anghysbell ac ymysg y tlodion, ond byddai'r hen a'r methedig yn cael eu hesgusodi ynghyd â'r rhai nad oedd ganddynt ddillad priodol!

Trwy orfodi presenoldeb roedd y gymuned i gyd yn cyd-gyfarfod yn yr eglwys; rhoddai gyfle i rai i drafod problemau'r dydd ac i eraill setlo hen gwerylon a fyddai ar brydiau'n arwain at ymladdoedd. Byddai rhai eglwysi'n penodi swyddogion arbennig i gadw trefn ar y gynulleidfa ac i brocio ambell un oedd wedi syrthio i gysgu yn ystod y gwasanaethau.

Roedd penydio'n dal i fod yn ddedfryd gyffredin yn ystod yr ail ganrif ar bymtheg ac roedd penyd cyhoeddus mewn gwasanaeth ar y Sul yn sarhad mawr – yn arbennig felly i ferched a oedd yn fwy parod i gael eu dedfrydu na'r dynion. Nid yw'n syndod felly i'r rhai a oedd yn gallu ei fforddio dalu'r ddirwy yn hytrach na dioddef y cywilydd cyhoeddus.

Hwn oedd y cyfnod pan nad yr allor oedd prif atyniad yr eglwys, ac felly daeth y pulpud a phregethu i'w bri. O ganlyniad, câi'r seddau eu trefnu i wynebu'r pulpud, a daeth seddau bocs i fodolaeth; byddai cystadlu brwd ymysg teuluoedd mwyaf cefnog y plwyf i gael y seddau gorau, oblegid roeddynt yn symbol o uwchraddoldeb, a throsglwyddent eu seddau yn eu hewyllysiau i aelodau eraill y teulu.

Yn ystod y Rhyfel Cartef (1642-1649) roedd y Seneddwyr yn ystyried y Frenhiniaeth a'r Eglwys yn gyd-elynion. Roedd eiconoclastiaeth a halogi'n rhemp ac eglwysi'n cael eu hysbeilio, ffenestri lliw a gwaith coed cerfiedig yn cael eu malu, a cherfluniau'n cael eu chwalu. Roedd popeth a ellid ei ystyried yn babyddiaeth yn darged cyfreithlon i filwyr y Senedd, ac fe gollwyd nifer o drysorau a oedd wedi cael dihangfa yn yr unfed ganrif ar bymtheg. Gwelir ôl y bwledi ar ddrws eglwys Sant Dyfnog, Llanrhaeadr a gwyddom fod milwyr Cromwell wedi defnyddio sawl eglwys fel stablau i'w ceffylau.

Ym mis Chwefror 1646 cymrodd byddin y Seneddwyr yn sir Drefaldwyn feddiant o eglwys Llansilin a'i defnyddio fel gwarchodfa. Yma eto gwelir ôl bwledi ar y drws ar ochr ddeheuol yr eglwys. Fe fanteisiodd y milwyr ar y cyfle i dynnu pob arwydd o babyddiaeth a oedd yn aros i lawr yn unol â'r gorchymyn a wnaed yn 1641. Dyma hefyd oedd yr adeg y maluriwyd y ffenestr liw yr oedd Ieuan Bach o Henblas a'i wraig Gwenhwyfar wedi'i roi i'r eglwys yn ystod yr unfed ganrif ar bymtheg.

Gan fod nifer o'r offeiriaid wedi bod yn gefnogol i'r Frenhiniaeth yn ystod y Rhyfel Cartref, bu'n rhaid iddynt ymadael o'u heglwysi. Fe wnaed ymosodiadau eraill ar yr eglwysi trwy ddeddfau yn ogystal. Os oedd unrhyw groes neu fedyddfaen wedi goroesi, yna roedd yn rhaid eu tynnu i lawr, ynghyd â'r arfbais brenhinol a bwrdd y Cymun i'w osod yng nghanol y gynulleidfa. Dim ond yr eglwysi mwyaf anghysbell a ddihangodd oddi wrth sylw'r eiconoclastiaid; mae amryw o eglwysi cefn gwlad Cymru wedi elwa o fod mor ddiarffordd, ac rydym ninnau heddiw'n medru gwerthfawrogi'r trysorau sy'n aros.

Roedd Deddf 1657 yn mynnu fod pawb i dyngu llw yn gwadu pabyddiaeth, ac os gwrthodent, yna roeddynt yn cael eu rhoi o flaen y Llys Chwarter.

Ond gydag adferiad y Frenhiniaeth yn 1660, fe ailsefydlwyd yr Eglwys Anglicanaidd a chyhoeddwyd argraffiad newydd o'r *Llyfr Gweddi Cyffredin* yn 1662 (gydag ychydig o newidiadau); rhoddwyd Bwrdd y Cymun yn ei ôl wrth y talcen dwyreiniol yn y gangell a daeth yr arfbais brenhinol yn ei ôl unwaith yn rhagor – weithiau gyda'r geiriau ychwanegol: *'Thy son, fear God and the King, and meddle not with them that are given to change'* – rhybudd amserol i unrhyw un oedd yn meddwl gwrthryfela yn erbyn y drefn newydd.

Roedd ugain mlynedd o gynnwrf wedi gadael ei ôl ar yr Eglwys.

(iii) 1700-1800

Y Chwyldro Diwydiannol a fu'n gyfrifol am drawsnewid y gymdeithas ym Mhrydain yn ystod ail hanner y ddeunawfed ganrif a hanner cyntaf y bedwaredd ganrif ar bymtheg. Dennai'r gweithfeydd diwydiannol y gweithwyr oddi ar y tir ac o ganlyniad cynyddodd poblogaeth y trefi. Roedd diwydiant yn galw am fwy a mwy o beiriannau, a hyn yn ei dro yn galw am well cyfleusterau teithio ac am well ffyrdd. Daeth Prydain i fod yn wlad ddiwydiannol bwerus, ond er gwaethaf hyn i gyd roedd problemau economaidd a chymdeithasol yn mynd i ddylanwadu ar y boblogaeth am amser maith.

Yng ngwyneb yr holl weithgarwch a'r newidiadau oedd yn

digwydd o'i chwmpas, agwedd hunanfodlon a fabwysiadodd yr Eglwys. Roedd yn dal yn wasaidd i'r Llywodraeth ac yn methu ymateb i ofynion y cyfnod. Apwyntiadau politicaidd oedd yr esgobion, a disgwylid iddynt roi eu hamser i gefnogi'r Llywodraeth yn Nhŷ'r Arglwyddi. Roedd nifer o offeiriaid amlblwyfol yn cael eu penodi gan noddwyr lleyg ac roeddynt yn mwynhau bywyd braf a chyflogau bras, ond yn talu cyn lleied â phosib i'w curadiaid a fyddai'n gwneud y gwaith. I raddau, roedd yr Eglwys yn amharod i ymateb i unrhyw frwdfrydedd crefyddol a fyddai'n digwydd rhag ofn i hynny gael ei uniaethu â phabyddiaeth. Yr hyn a oedd yn bwysig i'r Eglwys oedd cadw at yr hen drefn gydnabyddedig. Serch hynny, nid oedd hyn yn cyfateb â gofynion y gymdeithas newydd nac ychwaith yn ceisio datrys problemau'r rhai difreintiedig. Mewn nifer o eglwysi yr hyn oedd yn bwysig oedd cadw at y drefn gymdeithasol, ac o ganlyniad roeddent yn anwybyddu anghenion ysbrydol y plwyfolion.

Fe gollodd yr Eglwys sefydledig ei dylanwad ar nifer o eglwysi yn yr ardaloedd hynny lle roedd y boblogaeth yn cynyddu o ganlyniad i'r Chwyldro Diwydiannol, ac roedd hyn yn agor y drws i Ymneilltuaeth ennill tir. Er gwaethaf hynny roedd yr Eglwys yn cyffwrdd â bywydau'r bobl mewn nifer o ffyrdd. Ystyrid bedyddio yn yr eglwys yn beth pwysig hyd yn oed i'r rhai nad oedd yn ei mynychu'n rheolaidd, ac yn yr eglwys yr oeddynt yn priodi ac yn cael eu claddu gan offeiriaid y plwyf er eu bod yn anghydffurfwyr.

Yr oedd Eglwys y ddeunawfed ganrif wedi symud ymlaen o'r eglwys ganoloesol gyda'i dirgelion a'i syniadau coelgrefyddol. Rhoddwyd mwy o bwyslais ar bregethu'r Gair, a chodwyd pulpudau enfawr o ddwy neu dair gris mewn eglwysi bach yn ogystal â'r eglwysi mawr. Codwyd galerïau er mwyn cael mwy o le i'r addolwyr. Roedd seddau bocs ar gael i'r teuluoedd hynny oedd yn medru talu amdanynt, a meinciau yn y cefn ar gyfer y rhai nad oedd yn medru talu. Roedd cadw patrwm cymdeithasol yn bwysig hyd yn oed yn yr eglwysi i'r rheiny oedd yn rhoi pwyslais ar y fath beth.

Dechreuodd y snobyddiaeth gymdeithasol hyn greu anniddigrwydd, a byddai pobl yn troi at Ymneilltuaeth er mwyn ei osgoi. Byddai'r Wardeniaid hefyd yn ceisio cael mwy a mwy o incwm i'r eglwysi trwy ychwanegu mwy o seddau bocs i'w gosod i deuluoedd cyfoethog, a byddai rhai'n ceisio hawlio seddau arbennig a fyddai'n cyd-fynd â'u safle yn y gymdeithas!

Arweiniodd difaterwch yr Eglwys yn ystod y ddeunawfed ganrif i nifer fawr o eglwysi gael eu gadael i ddadfeilio bron; cyfeiriwyd at hyn yn gyson gan y teithwyr hynny fu yng Nghymru yn y blynyddoedd 1750-1850.

Gwlad dlawd oedd Cymru ar drothwy'r Diwygiad Protestannaidd, a gwnâi hyn hi'n amhosibl i waddoli'r eglwysi yn hael. Y cymhwyster ariannol i unrhyw ŵr fod yn Ustus Heddwch oedd bod yn berchen tir oedd yn werth £20 y flwyddyn, ond bu'n rhaid gostwng y ffigwr yma i £10 yng Nghymru. Yn wir, fe ddywed un hanesydd mai ychydig iawn o Gymry yn y gogledd oedd yn berchen eiddo gwerth £10. Câi'r tlodi hwn ei adlewyrchu yng nghyflogau'r clerigwyr, ac ar yr un pryd roedd cyflwr allanol yr eglwysi'n gwaethygu.

Erbyn diwedd y ddeunawfed ganrif a dechrau'r bedwaredd ganrif ar bymtheg cafodd Cymru sylw gan lawer o'r teithwyr cynnar a oedd yn crwydro drwy'r wlad yn y cyfnod hwnnw. Diddorol yw nodi nad oedd adroddiadau'r teithwyr am eglwys Tyddewi, er enghraifft, yn ddim gwell nag eglwysi bach distadl yng nghefn gwlad. Yn 1774 roedd Henry Penruddock Wyndham ar ei daith drwy Gymru ac roedd yntau hefyd wedi galw yn Nhyddewi. Ei syndod mwyaf oedd canfod fod Eglwys Gadeiriol wedi'i lleoli mewn man mor anghysbell, ond pan welodd y beddau y tu fewn i'r eglwys yn dwmpathau o bridd a blodau wedi gwywo arnynt teimlai fod yr awdurdodau eglwysig yn esgeulus o'u cyfrifoldebau. Yr oedd gan y teithwyr hyn ddiddordeb mawr yn yr eglwysi ond ychydig ohonynt a gâi eu bodloni gan yr hyn a welsant.

Aeth y Parchedig William Bingley ar daith i Eryri am gyfnod o dri mis yn ystod 1798, a threuliodd beth o'i amser yn ardal Llanberis yn chwilio am blanhigion prin yn y mynyddoedd. Pan ymwelodd ag eglwys Llanberis (Nant Peris heddiw) tystia iddo gael ei siomi'n fawr gan ei chyflwr:

The church of Llanberis, was four years ago, without exception the most ill-looking place of worship I ever beheld. The first time I came to the village, I absolutely mistook it for a large antique cottage, for even the bell-tower was so overgrown with ivy, as to bear much the appearance of a weather-beaten chimney, and the grass in the church-yard was so long as completely to hide the few grave-stones therein from view.

Tebyg hefyd oedd ei ddisgrifiad o gartref y Curad, y Parchedig John Morgan. Dim ond dwy ystafell fechan oedd i'w fwthyn. Gwisgai John Morgan gôt las hir â llawer o ôl traul arni a chadach glas ar ei ben a oedd yn tanlinellu tlodi'r Curad yn ogystal â'r eglwys. Roedd Rheithor y plwyf, y Parchedig Peter Bayley Williams yn dweud y byddai'n methu pregethu yno weithiau gan fod y glaw'n dod i mewn drwy'r to.

Gŵr a chanddo sylwadau bachog bob amser oedd Dr Samuel Johnson ac yr oedd yntau hefyd ar ei daith drwy'r gogledd yn yr un flwyddyn â Wyndham. Ymwelodd ag eglwysi Tudweiliog a Llangwnnadl yn Llŷn yng nghwmni Mrs Hester Lynch Thrale a'i gŵr. Roedd Mrs Thrale wedi mynd i ymweld â Phlas Bodfel lle y ganwyd hi yn Ionawr 1740/41, a hi hefyd oedd yn berchen ar ddegwm y ddwy eglwys. Dyma oedd ymateb Dr Johnson pan welodd y ddwy eglwys yma:

We surveyed the churches, which are mean and neglected to a degree scarcely imaginable – they have no pavements, and the earth is full of holes. One of them has a breach in the roof. On the desk, I think, of each lay a folio Welsh Bible of the Black Letter, which the Curate cannot easily read.

Roedd Dr Johnson wedi darganfod yn Llŷn yr hyn oedd

wedi digwydd i nifer o eglwysi ledled Cymru – yr adeilad yn dadfeilio, y degwm yn eiddo lleygwyr, a safon isel iawn o addysg y curadiaid; roedd hyn i gyd yn cyfranogi at dlodi'r Eglwys yn faterol ac yn ysbrydol.

Mae sylwadau a wnaethpwyd yn yr *Annual Register* yn 1788 hefyd yn tanlinellu'r tlodi ymysg curadiaid:

> *Among the several returns which were read to the House of Commons in compliance with Mr Gilbert's Act, was one from a poor Welsh curate, who, after delineating the distress of his poor neighbours, adds – 'but their distress cannot be greater than mine are. I have a wife who is far advanced in her pregnancy. I have around me nine poor children, for whom I never yet could procure shoe or stocking. It is with difficulty I can provide them with food. My income is £35 per annum, and for this I do the duty of four parishes'.*

Drwy gydol yr ail ganrif ar bymtheg a'r ddeunawfed ganrif cafodd adeiladwaith y rhan fwyaf o eglwysi Cymru, trwy ddifaterwch neu trwy ddiffyg gwybodaeth dechnegol, eu gadael i ddadfeilio. Yn y cyfnod hwn o ddifaterwch roedd trysorau'r eglwysi yn dioddef hefyd. Ymddengys mai'r unig beth oedd yn digwydd oedd gwario cyn lleied â phosib ar eu cynnal a chadw. Wrth gwrs, polisi tymor byr ydoedd a adawai'r cyfrifoldeb i genedlaethau oedd yn dilyn.

Gwelodd Robert Roberts (Y Sgolor Mawr) enghraifft o hyn pan oedd ar ei daith drwy sir Fôn. Ar ôl gadael Llannerch-y-medd gwelodd eglwys fechan ar bwys y ffordd ac aeth i mewn iddi:

> *The oak seats were slowly rotting to pieces, the font was dismantled and had only a broken pedestal remaining. The altar had no covering of any sort to hide the nakedness of the moth-eaten wood, the rails were awry and loose. I thought at first that the church was entirely abandoned to the bats, but the sight of a damp, dingy, ragged surplice hanging over the reading desk showed that some attempt at a service was still made.*

Ar ôl cyfnod o bron i dair canrif o ddifaterwch niweidiol fe sylweddolodd yr awdurdodau eglwysig fod yn rhaid gwneud ymdrech arbennig i atgyweirio'r eglwysi. Roeddynt wedi sylwi bod eu hagwedd tuag at yr adeiladau'n dieithrio'r bobl o'r eglwysi, a bod mwy a mwy o'r aelodau'n troi at y capeli anghydffurfiol oedd yn codi yng Nghymru. Y gobaith oedd y byddai gwell adeiladau'n cymell y bobl yn ôl ac yn dangos iddynt y pwysigrwydd o fod yn aelodau o'r Eglwys Wladol. Yn ôl rhai pobl roedd yr eglwysi wedi mynd i edrych yn fwy tebyg i ysguboriau nac i eglwysi. Yn wir, roedd rhai o'r teithwyr yn eu galw *'the chief barn of the locality'*.

Dyma ysgrifennodd un gŵr yn 1846:

> Rydym wedi gweld eglwysi oedd mor llaith a budr fel na fyddai yr un gŵr bonheddig yn goddef i'w gegin fod yn y fath gyflwr; y lloriau pridd yn dangos ôl traed cenedlaethau o addolwyr gwladaidd, bwrdd y cymun yn fychan a sigledig ac wedi ei orchuddio â lliain oedd yn llawn o dyllau pryfed ac wedi llwydo; poblogaeth y plwyf yn bum cant a'r gynulleidfa yn ddim ond hanner cant, ac yn ymyl yr eglwys y mae rheithordy eang wedi ei ddodrefnu yn foethus, ac heb fod ymhell mae addoldy arall gyda'i ddwy res o ffenestri a tho uchel; wedi ei lorio'n dda, wedi ei oleuo yn dda, yn gynnes ac yn lân ac nid yn unig yn cael ei fynychu ond gyda'r galerïau'n llawn a'r bobl yn tyrru at y drysau – nid ar y Sul yn unig ond ar nosweithiau eraill hefyd.

Sonia teithiwr arall yn 1803 am ei ofid wrth weld cyflwr difrifol yr eglwysi a'u cynulleidfa ochr yn ochr â'r Ymneilltuwyr. 'Yr oeddynt hwy', meddai 'mor benboeth dros eu daliadau ac roedd ganddynt sêl afreolus i ledaenu'r gwirionedd'. Teimlai fod yr Eglwys wedi mynd i drwmgwsg a'i bod yn bryd iddi ddeffro.

Daeth cyfnod pan oedd adeiladau eglwysig yn cael eu chwalu'n ddianghenraid ar yr esgus o godi adeiladau mwy addas. Mewn sawl man yng Nghymru gwelwyd adeiladau digymeriad yn cael eu codi heb ystyried y trysorau pensaernïol oedd yn cael eu colli ar yr un pryd. Roedd eglwysi'n cael eu 'gwella', ac yn y broses honno yn cael eu difetha – eu nodweddion pensaernïol arbennig yn cael eu chwalu a'u trysorau mwyaf godidog yn cael eu colli am byth.

Mewn sefyllfa o'r fath roedd yn rhaid cymryd camau pendant i adfer statws a dylanwad yr Eglwys er mwyn ennill eu cynulleidfaoedd yn ôl.

Daeth cyfnod o newid agwedd tuag at bensaernïaeth eglwysig ac awydd i droi'n ôl at arddull ac egwyddorion Gothig. Daeth to o glerigwyr cefnog oedd yn deall yr anghenion a'r gallu ganddynt i gario'r gwaith angenrheidiol allan eu hunain. Un o'r rheiny oedd y Parchedig John Parker, Rheithor Llanmerewig ger y Drenewydd, sir Drefaldwyn. Fe deithiodd ef drwy Gymru cyn i lawer o'r eglwysi gael eu difetha gan atgyweiriadau niweidiol a chadwodd fanylion cywir ohonynt ynghyd â lluniau manwl o'r sgriniau ac ati. Dim ond pensaernïaeth Gothig oedd yn addas i eglwysi meddai Parker, a bu ei waith manwl yn cofnodi'r eglwysi yn fodd i ni ddeall gwaith y crefftwyr canoloesol cyn i lawer o'r gwaith hwnnw gael ei chwalu. Dengys ei lawysgrifau yn eglur ei safbwynt bersonol ef ei hun a hefyd y safbwynt a ddaeth i'w dderbyn fwyfwy fel yr oedd y bedwaredd ganrif ar bymtheg yn mynd yn ei blaen. Meddai:

> Mae'r gelfyddyd Gothig yn uwch ei safon mewn ymarferiad ac mewn dyluniad creadigol. Mae'n amlwg fod y sawl a'i darganfyddodd, pwy bynnag yr ydoedd, yn coleddu casineb o Rufain, ei harddull ei chyfundrefn ac yn bennaf oll, ei dull o adeiladu. Darganfyddwyd cyfrinach bensaernïol a ysgytwodd amlygrwydd Rhufain yn y gelfyddyd yma. Roedd y darganfyddiad hwn yn cyfuno mynegiant meddylgar ynghyd â theimladau cydwybodol tuag at yr Ysgrythurau. Yr oedd dyfeiswyr yr arddull Gothig i gelfyddyd yr hyn oedd y Diwygiad Protestannaidd i'r grefydd Gristnogol.

Pensaernïaeth Eglwysig

Yn sgîl y Diwygiad Protestannaidd daeth galw am adnewyddu adeiladau ar gyfer cyfundrefn grefyddol newydd, ond sut oedd modd gwneud hynny? Gan fod cymaint o wahaniaethau rhwng y Pabyddion a'r Protestaniaid roedd angen arddangos y gwahaniaethau hynny, a'r unig ddull a ystyrid yn addas ar gyfer yr eglwysi oedd Pensaernïaeth Gothig. Defnyddiwyd byrddau syml yn lle'r allorau ac fe'u lleolwyd yn y gangell oblegid roedd gwasanaeth y Cymun i'w ystyried nid fel ailgread o aberth Crist, ond yn hytrach yr hyn yr oedd yr aberth hwnnw'n ei olygu. Daeth y bregeth yn rhan bwysig o'r gwasanaeth ac felly fe leolwyd y pulpud gyda'i seinfwrdd uchel yng nghorff yr eglwys a rhoddwyd meinciau i'r gynulleidfa o gwmpas y pulpud.

Pensaernïaeth Gothig

Yn eu tro mae'r Almaen, Ffrainc a Lloegr wedi hawlio darganfod pensaernïaeth Gothig, ond er gwaethaf holl haeriadau Lloegr mae'n rhaid cydnabod fod cynllun côr eglwys fawreddog Cologne yn bodoli pan oedd pensaernïaeth Gothig ym Mhrydain ond yn dechrau disoldi'r dull Normanaidd, ond datblygodd yn fuan i gystadlu gyda'r goreuon. Prif nodweddion yr arddull Gothig newydd oedd mowldiau, colofnau clwstwr a ffenestri wedi eu rhannu â phileri a rhwyllwaith, ac fe ddatblygodd hyn ei grym artistig ei hun. Ond yn fuan iawn daeth gormodaeth o addurniadau, ac yn y man, arweiniodd hynny at ddirywiad addurniadol. Gwelai rhai pobl fod hyn ond yn ochri unwaith yn rhagor gyda'r Babyddiaeth yr oeddynt wedi ymladd yn ei erbyn mor galed. Roedd y gogoniant byrhoedlog hwn yn niweidiol ac yn atal pensaernïaeth Gothig rhag cael ei dderbyn fel pensaernïaeth eglwysig.

Roedd Sant Bernard a'r Sistersiaid cynnar yn barnu fod cael addurniadau mewn eglwysi'n tramgwyddo yn erbyn Duw.

Er i ormodaeth o addurniadau fod yn andwyol am gyfnod, bu'n foddion pwysig i wneud astudiaeth lawn o'r posibiliadau, ac fe esgorodd ar arddull arbennig iawn ynghyd â rhoi gogoniant neilltuol i eglwysi mawr a bach. Elfen bwysig iawn ym mhensaernïaeth Gothig oedd yr ymchwil am drefn.

Yr oedd rhai elfennau Gothig wedi dechrau ymddangos yng nghyfnod y Normaniaid – gwelwyd yr arddull yn cael ei ddefnyddio gan William y Concwerwr yn y 1070au, ac yna fe'i mabwysiadwyd gan y Ffrancwyr, ond bu'n rhaid aros am ganrif arall cyn iddo ddod yn flaenllaw ym Mhrydain wrth i gyfnod newydd o adeiladu eglwysi ddechrau yn y 1170au.

Term llac yw pensaernïaeth Gothig ond fe'i defnyddir yn gyffredinol i ddisgrifio'r dull a ddatblygodd o'r steil Romanésg yn ystod hanner olaf y ddeuddegfed ganrif ac a ddaeth yn gyffredin drwy Ewrop – ond nid yn yr Eidal – erbyn canol y drydedd ganrif ar ddeg. Y nod oedd ceisio adeiladu eglwysi fyddai'n syml ond yn ddeniadol, a gwnaed hynny drwy ddefnyddio ffowt asennog, llofft olau ac eiliau ynghyd â ffenestri lliw. Datblygwyd y manylion addurnol mewn ymgais i gyrraedd at berffeithrwydd y cynllun newydd. Er i'r ffurf Gothig fod yn benodol ar gyfer eglwysi, buan y gwelwyd ef yn cael ei fabwysiadu gan adeiladau eraill.

Ond nid oedd penseiri'r Oesoedd Canol na'u noddwyr yn ystyried addasrwydd, ond yn hytrach gormodaeth gystadleuol. Wrth edrych ar eglwysi cadeiriol ledled y wlad gellir gweld nad oedd cynildeb yn un o'u rhinweddau bob amser.

Gan nad oedd yr arddull hwn yn cael ei gysylltu â chanonau Eglwysig a oedd yn y gorffennol wedi dechrau'r arfer o ddefnyddio manylion clasurol, a chan ei fod yn gofyn am well crefftwaith na'r Romanésg, yr oedd cyfle i'r arddull newydd hwn ddatblygu'n gyflym yn y rhyddid a berthynai iddo. Y mae wedi'i gysylltu ag eglwysi erioed oherwydd yr ymdeimlad o ddefosiwn a geir drwy eu maint a'u huchder, a'r teimlad o ryfeddod a geir ynddynt ynghyd â gwychder y ffenestri lliw. Dyma oedd y rhyddid a wnaeth i'r dull hwn gael derbyniad a dylanwad pell-gyrhaeddol; roedd yn addas i ateb unrhyw broblem bensaernïol ac yn gallu ysbrydoli syniadau newydd. Erbyn 1725-1775 cawsai'r arddull ddylanwad mawr ar eglwysi plwyfol.

Yn hanesyddol, roedd pensaernïaeth Gothig yn gofyn am gerfiadau coeth ac fe welir hyn mewn nifer fawr o sgriniau a chroglofftydd y cyfnod, er enghraifft yn eglwys Llananno, sir Faesyfed, Llanwnnog yn sir Drefaldwyn a Llanegryn, sir Feirionnydd i enwi ond ychydig. Roedd y crefftwaith arbennig hwn yn gofyn am seiri meini a seiri coed a oedd hefyd yn artistiaid.

Ymddengys gwaith Gothig cynnar yn wanwynol ei arddull gyda dail a blodau'n blaguro a dyna rai o'r ffurfiau amlycaf a welir yn sgriniau'r cyfnod; daeth y croced gyda dail yn datgyrlio ohono yn ffurf boblogaidd ar bileri a chorbelau. Dyma oedd egin datblygiad pellach o ryddid pensaernïol. Roedd cymhlethdod geometrig yn y ffurfiau ynghyd â llinellau crwm, ac erbyn diwedd y cyfnod gwelwyd addurniadau a oedd, mewn gwirionedd, yn or-foethus. Er bod cymaint o syniadau gwrthdrawiadol yn bodoli ar y pryd, fe barhaodd yr arddull hyd at ddiwedd y bymthegfed ganrif ac ymlaen i'r unfed ganrif ar bymtheg, a thu allan i'r Eidal, dylanwadodd yn fawr ar bensaernïaeth y Dadeni a'i dilynodd yn raddol.

Roedd Cymdeithasau Rhydychen a Chaergrawnt yn cefnogi astudiaeth o bensaernïaeth eglwysig yn yr 1830au a 1840au. Ar ddechrau'r bedwaredd ganrif ar bymtheg, yr Eglwyswyr fu'n gyfrifol am ymwybyddiaeth Cenedlaethol yn y maes; erbyn ail hanner y ganrif, yr Uchel-eglwyswyr a Phuseyaeth ddaeth yn flaenllaw – yn arbennig felly wedi i erthygl ymddangos yn y cylchgrawn *The Ecclesiologist*. Roedd yr Eglwyswyr am wybod pam yr oedd cartrefi preifat yn cael eu cadw'n lân a chyfforddus tra bod Tŷ Duw yn aml gyda'i ffenestri wedi malu, y muriau'n llaith a'r to yn gollwng dŵr. Edrychid ar eu hawgrymiadau gyda pheth amheuaeth gan y Protestaniaid.

O'r cychwyn cyntaf roedd Mudiad Rhydychen yn rhybuddio yn erbyn gorwneud unrhyw welliannau, ond serch hynny, gwelwyd nifer fawr o eglwysi'n cael eu hadnewyddu heb unrhyw sylw'n cael ei roi i lawer o drysorau'r Canol Oesoedd.

Nid oes amheuaeth, fodd bynnag, na fu i Gymdeithasau Rhydychen a Chaergrawnt fod yn ddylanwadol iawn yn hyrwyddo pensaernïaeth Gothig. Wrth i'w graddedigion adael y colegau roeddynt yn awyddus i ddeffro'r wlad o'i thrwmgwsg. Roedd A.W.N. Pugin (1812-1852) am adfywio pensaernïaeth Gothig drwy adfywio Pabyddiaeth ond roedd yr Eglwyswyr am adfywio'r Eglwys Anglicanaidd drwy adfywio pensaernïaeth Gothig.

I'r Efengylwyr, nid oedd seremonïau a delwau sanctaidd yn dderbyniol. Iddynt hwy roedd y gangell, gyda sgrîn y grog ac ati yn oroesiad o'r Oesoedd Tywyll. Roedd yr allor yn dramgwydd i'r Protestant ac nid oedd unrhyw bwysigrwydd i'r groes. Edrychai'r Efengylwyr ar yr Eglwyswyr a'r adfywiad Gothig fel bygythiad i Brotestaniaeth ac i ofynion cymdeithas, a chredent y byddai'n arwain y bobl yn nes at Eglwys Rufain. Eu nod hwy oedd symlrwydd heb unrhyw arwydd o ofergoeledd grefyddol.

Dadl yr Eglwyswyr yn erbyn hyn oedd bod yr Efengylwyr wedi gadael i'r eglwysi ddadfeilio'n arswydus, a bod eu gwasanaethau'n ddi-raen. Roedd y plant yn tyfu i fynu heb ddeall natur a phwysigrwydd trefn yr Eglwys a'i Sacramentau. Roedd y seremonïau wrth yr allor bron wedi peidio â bod, ac roedd y gangell wedi colli ei phwysigrwydd ac weithiau'n cael ei defnyddio fel festri. Yn fwy nac aml, roedd y bedydd yn ddim ond trefn i roi enw ar blentyn, a byddai'r seremoni yn cymryd lle yn y cartref yn hytrach nag yn yr eglwys.

Ond roedd adfywiad pensaernïaeth Gothig ynghlwm wrth adfywiad Cristnogol, ac er iddo gael ei gyplysu â'r Tractariaid ac Eglwys Rufain ar y cychwyn, daeth yr Efengylwyr i'w dderbyn yn raddol.

Cafodd y fath newid effaith mawr ar y diwydiant adeiladu yn ogystal ag ar bensaernïaeth. Daeth galw am deils llosgliw; am ffenestri gwydr lliw; gwaith metel cywrain ynghyd â defnyddiau o safon, urddwisgoedd coeth a phopeth arall oedd yn gysylltiedig â'r adfywiad newydd. Bu'n rhaid i benseiri, artistiaid a chrefftwyr ddysgu am elfennau Gothig gyda'i holl fanylion, mowldiau ac arddull. Daeth cynlluniau pensaernïol yn rhydd o'r hen gynlluniau clasurol, a daeth rhyddid i benseiri arbrofi.

Roedd cyfnod o ddylanwad mwyaf yr Eglwyswyr yn cydredeg â chyfnod prysur iawn o atgyweirio hen eglwysi ac adeiladu eglwysi newydd; o tua 1840 hyd ddiwedd y ganrif cafodd o leiaf 100 o eglwysi newydd eu hadeiladu bob blwyddyn yn Lloegr. Serch hynny, yn fuan iawn daeth hi'n amlwg fod llawer gormod o adeiladu wedi digwydd, a golygai hyn bod nifer o eglwysi'n methu cynnal eu hunain yn ariannol.

Eglwyseg *(Ecclesiology)*

Roedd y flwyddyn 1833 yn flwyddyn bwysig iawn yn hanes yr Eglwys oherwydd yn y flwyddyn honno fe drosglwyddwyd pob awdurdod eglwysig i'r *Judicial Committee of the Privy Council*, a oedd yn ddychryn i'r awdurdodau. Ar ôl 1833 fe sefydlwyd dwy gymdeithas ddylanwadol iawn ym mhrifysgolion Rhydychen a Chaergrawnt sef yr *Oxford Society for the Study of Gothic Architecture* a'r *Cambridge Society for the Study of Church Architecture* sef y *Camden Society*. Roedd cymdeithas Caergrawnt yn hybu pensaernïaeth eglwysig drwy ymweliadau ac eglwysi, casglu rhwbiadau pres a chyhoeddi erthyglau, beirniadaethau a darluniau. O'i chychwyn cyntaf roedd y gymdeithas hon yn fwy na chymdeithas hynafiaethol;

Cell Gofan yn sir Benfro

Abaty Cwm-hir heddiw

Colofnau clystyrog Abaty Cwm-hir yn yr arcêd yn eglwys Llanidloes

Manylion o gnapan un o golofnau Abaty Cwm-hir

Abaty Glyn-y-groes, 1779

Sgrîn eglwys Pennant Melangell

Ceffyl Derfel Gadarn

Llun John Parker o sgrîn Pennant Melangell
(Llyfrgell Genedlaethol)

Creirfa Melangell

Ffynnon Gwenffrewi

Rhan o sgrîn eglwys Llandderfel

Seddau bocs a phulpud gyda seinfwrdd
yn eglwys Llanfaglan ger Caernarfon

Meinciau yn eglwys Llanfaglan gyda'r dyddiad 1769
a llythrennau enw'r perchennog ar un ohonynt

Un o'r canhwyllbrennau fforchog, Llangorwen

Yr allor sydd tu ôl i'r Iconostasis yn yr Eglwys Uniongred, Blaenau Ffestiniog

Y drysau sy'n cau'r allor â lluniau o'r Seintiau arnynt

Sgrîn eglwys Conwy yn dangos crafanc eryr yn dal pysgodyn sef bathodyn Syr Richard Pole; pomgranad – bathodyn Catrin o Aragon; llwynog a geifr.

Y ffanfowtiau gyda rhwyllwaith yn eglwys Conwy

Y pelican yn bwydo ei chywion

Gofan ar ei daith i Rufain sydd i'w weld yn Nhyddewi

Misericordioau eglwys Biwmares

Eglwys y Santes Fair y Drenewydd heddiw

Llun John Parker o sgrîn eglwys y Drenewydd (Llyfrgell Genedlaethol Cymru)

Rhan o'r sgrîn eglwys y Drenewydd

Sgrîn eglwys Sant Engan

Sgrîn ogleddol eglwys Sant Engan

Sgrîn eglwys Clynnog

Llun John Parker o sgrîn eglwys Clynnog, 1829
(Llyfrgell Genedlaethol)

Hen brint o Eglwys Clynnog

Sgrîn eglwys Nant Peris yn 1829 – Llun John Parker (Llyfrgell Genedlaethol)

Rhan o sgrîn eglwys Nant Peris heddiw

Darlun o'r ysgerbwd sydd ar ganol y sgrîn yn eglwys Llaneilian.

Sgrîn eglwys Llaneilian

Y sgrîn, eglwys Llanegryn

Rhai o'r paneli ar yr ochr ddwyreiniol sgrîn eglwys Llanegryn

Llun o eglwys Nant Peris 1846

Sgrîn eglwys Llanwnog

Y fynedfa i'r Gangell yn eglwys Llanwnog

Y sgrîn, eglwys Llananno

Rhan o sgrîn eglwys Llanrwst

Y fedyddfaen Sacsonaidd yn eglwysPatrico

Y sgrîn a Llofft y Grog yn eglwys Patrico

cefnogai astudiaeth o gelf y Canol Oesoedd er mwyn hyrwyddo adfer hen eglwysi ac adeiladu eglwysi newydd a fyddai'n ymateb i ofynion eu ffurfwasanaeth. Yn 1841 daeth y rhifyn cyntaf o *The Ecclesiologist* o'r wasg – roedd yn un o gylchgronau pensaernïol pwysicaf y cyfnod, ac yn un a gafodd ddylanwad mawr hyd yn oed ar ôl i'r rhifyn olaf ddod o'r wasg yn 1868. Eglwyseg yn ei hanfod yw astudiaeth o ffurf a thraddodiadau'r Eglwys ynghyd â'i adeiladau ac addurniadau, a bu'r gymdeithas yn foddion i roi fframwaith a symbyliad i'r gwaith.

Wrth gwrs, roedd rhai clerigwyr yn ofni'r Gymdeithas newydd hon ac yn ei gweld yn ochri'n ormodol at Eglwys Rufain. Yr oeddynt hefyd yn ofni Mudiad Rhydychen a oedd wedi'i sefydlu gan Keeble a Newman. Yn 1843 ymwelodd Esgob Manceinion ag un eglwys oedd wedi ei chynllunio ar linellau'r ddwy gymdeithas yma, ac yn ôl un adroddiad ar ei ymweliad fe ddywedir:

> *. . . he gave an exhibition of manical fury. He cast down cushions and altar-cloths, he screwed off ornaments and dashed them onto the pavement . . . and expressed a wish that the boys might break the stained-glass windows in the church.*

Yn raddol daeth nifer o glerigwyr ifanc a rhai o'r esgobion i ymateb gyda llawer iawn o frwdfrydedd a gweld y *Camden Society* fel ysbryd newydd y cyfnod. Darparodd y pensaer A.C. Pugin lawlyfr ymarferol ar bensaernïaeth Gothig, ac ar ei farwolaeth dilynodd y mab Augustus Welby Pugin ei dad yn y gwaith. Roedd yn credu'n gryf mai pensaernïaeth Gothig oedd yr unig un bosib ar gyfer adeiladu eglwysi. Profodd ei lyfr *An Apology for the Revival of Christian Architecture in England* fod yn ddylanwadol i sefydlu pensaernïaeth Gothig unwaith ac am byth, ac erbyn 1845 roedd yn llwyddiant mawr ym mhob man.

Yn 1845 daeth y Gymdeithas i ben. Newidiwyd ei enw i *The Ecclesiological Society*, torwyd y cysylltiad â Chaergrawnt, a daeth yn Gymdeithas genedlaethol gyda'i phencadlys yn Llundain.

Er fod adeiladwyr y ddeunawfed ganrif wedi cael gwared â nifer o sgriniau ac wedi aildrefnu'r seddau a'r pulpud ac ati, bu ymdrechion i ddad-wneud gwaith yr adeiladwyr hynny hefyd yn eu tro, wedi'r cyfan nid pawb oedd yn hoffi pensaernïaeth Gothig. Dywedodd John Nash (a fu'n gyfrifol am wneud gwaith yn eglwys Tyddewi cyn i George Gilbert Scott ail-wneud ei waith yntau'n ddiweddarach):

I hate this Gothic style. One window costs more trouble in designing than two houses ought to.

A phan oedd rhai'n derbyn yr arddull Gothig roeddynt yn ddetholiadol, mympwyol ac yn anhanesyddol yn eu hymdrechion.

Bu George Gilbert Scott yn gyfrifol am atgyweirio eglwysi Cadeiriol Tyddewi yn 1864, Bangor yn 1866 a Llanelwy yn 1869. Roedd ganddo ddaliadau cryf a phendant am atgyweirio eglwysi, ac yn ei *Personal and Professional Recollections* a gyhoeddodd yn 1870 dywedodd:

The country has been, and continues to be, actually devastated with destruction under the name of restorers. For years and years the vast majority have been committed to men who neither know nor care anything whatever about them, and out of whose hands they have emerged in a condition truly deplorable, stripped of almost everything which gave them interest or value.

Pensaernïaeth Gothig yn Lloegr

Er fod y bwa pigfain i'w weld yn achlysurol yn Lloegr yn ystod hanner olaf y ddeuddegfed ganrif, gwelwyd pensaernïaeth Gothig yn ei ffurf derfynnol gyntaf yng nghôr eglwys gadeiriol Caergaint a adeiladwyd gan y pensaer Ffrengig William o Sens.

Yr oedd gwahaniaeth rhwng y gwaith yn Lloegr a'r hyn a welwyd yn cael ei wneud yn Ffrainc yn ystod yr un cyfnod. Yn gyntaf, nid oedd y gwahaniaethau eglwysig yn bodoli yn Lloegr. Roedd y mynachlogydd wedi bod yn bwerus iawn ym mhob man; roedd gan y Sistersiaid ddylanwad mawr ar bensaernïaeth wrth iddynt roi pwyslais ar symlrwydd a'u hymatalgarwch. Perodd hyn i'r Saeson ymadael â'r patrwm crongrafell a ffafrio'r talcen sgwâr dwyreiniol ynghyd â datblygu'r colofnau oedd wedi eu mowldio heb ddail. Roedd y traddodiad Normanaidd o adeiladu eglwysi hefyd yn cyfnerthu'r arddull Gothig trwy gael muriau syml plaen yn lle'r traddodiad Ffrengig. Yn Lloegr ni wnaed unrhyw ymgais i efelychu eglwysi uchel Ffrainc na phentyrru gormodedd o gerfluniau ac addurniadau.

Gothig Seisnig Cynnar (1180-1275)

Dyma'r cyfnod a welodd ddechrau sefydlu'r arddull bensaernïol newydd yn dilyn cyfnod y Normaniaid; amlygai ei hun gyda ffenestri pigfain sydd mor nodweddiadol o'r cyfnod. Roedd yr addurniadau mor syml ag yr oedd yn bosib ond fe welid rhywfaint o gerfiadau o ddail ffurfiol a mowldiau ar ffurf a adnabyddir fel 'dant ci'. Daeth yr angen am rwyllwaith i fod oherwydd yr arferiad o gyplysu dwy neu fwy o ffenestri pigfain gyda'i gilydd.

Y Cyfnod Addurnedig (1275-1375)

Erbyn canol y drydedd ganrif ar ddeg roedd defnyddio rhwyllwaith cyfoethog wedi dod yn beth cyffredin, ac roedd y defnydd hael o addurniadau'n arwain ymlaen at yr ail gyfnod, sef y cyfnod addurniedig. Ar ddechrau'r cyfnod (sef hanner cyntaf y bedwaredd ganrif ar ddeg) fe'i disgrifiwyd fel geometrig, a gwelwyd datblygiad cynyddol mewn rhwyllwaith barrog. Yr un pryd gwelwyd mwy a mwy o fowldiau cymhleth a cherflunio. Rhoddodd cerfio dail gor-syml le i driniaeth naturiol, a gwelwyd gwaith cerfiedig o'r radd uchaf yn datblygu megis yn nhalcen gorllewinol Eglwys Gadeiriol Wells. Ond er gwaethaf hyn i gyd, nid oedd yn rhoi digon o le i'r dychymyg, ac erbyn dechrau'r bedwaredd ganrif ar ddeg datblygwyd y llinell grom o chwith ac esgorodd hyn ar ail gyfnod addurniedig neu'r cromlinog. Roedd yna hefyd ddatblygiad mawr mewn cromennau a cherfiadau cyfoethog. Gyda'i gilydd, roedd y cyfuniad o bileri cain, y corbeli tro a'r trifforiwm yn cyfleu cyfoeth a dirgelwch na welir yn unman ond mewn eglwys.

I ddilyn hyn oll daeth newid sylweddol yn ansawdd dodrefn yr eglwysi, megis y pulpud ac yn arbennig y sgriniau, a dyna ble gwelwyd cyfoeth y cerfiadau ar ei orau gyda defnydd helaeth o'r croced pigfain ddeiliog a deiliach o bob math ynghyd â symbolau herodrol.

Gothig Sythlin (1375-1545)

Fel yr âi'r blynyddoedd yn eu blaenau, gwelwyd datblygiad ym mhensaernïaeth Gothig, ac yn Eglwys Gadeiriol Caerloyw yn y blynyddoedd 1327-1377 fe adnewyddwyd yr hen gôr Normanaidd gan ychwanegu gwaith cromennog gwych.

Gwelodd y cyfnod hwn nifer fawr o eglwysi plwyfol gwych yn cael eu hadeiladu hefyd.

Daeth yr arddull Gothig Sythlin i'w fri pan oedd pensaernïaeth y Dadeni yn raddol ennill tir. Byddai eglwys gadeiriol neu unrhyw eglwys fawr arall yn fwy addas ar gyfer arddull Gothig na fyddai eglwysi bychan cefn gwlad, ond hyd yn oed yn y rhai hynny yr oedd yn bosib i'r arddull gael ei arfer ac fe'i gwelir yn addurniadau'r pulpud ac yn y ffenestri. Mae'r elfennau hyn mor bwysig i'w cadw i'r dyfodol ag unrhyw drysor arall a welir mewn eglwysi, oblegid wrth eu cadw mae'n bosib gweld y darlun cyflawn o sut yr oedd popeth yn gweithio er ceisio creu perffeithrwydd.

Efallai nad oedd angen adeiladau newydd yn syth ar ôl y Diwygiad Protestannaidd, ond fel yr oeddynt yn dadfeilio a'r cynulleidfaoedd yn cynyddu, roedd yn rhaid cael eglwysi newydd a fyddai'n adlewyrchu'r newid athrawiaethol o'r allor i'r pulpud; fe welir hyn yn yr eglwysi bychan yn ogystal ag yn y rhai mawr. Trwy hyn daeth gwell cyfle i ddilyn yr arddull Gothig a'i ddangos yn ei holl ogoniant.

Er gwaetha'r ffaith mai Urdd y Sistersiaid oedd y fwyaf

poblogaidd o lawer yng Nghymru a'i hadeiladau hardd i'w gweld ledled y wlad, ni wnaeth lawer o ddylanwad ar bensaernïaeth yr eglwysi na meithrin dim ar arddull Gothig – er mai'r arddull hwnnw oedd i'w weld yn amlwg yn y mynachlogydd. Er fod yr Urdd yn agos iawn at fywyd y bobl ni wnaeth unrhywbeth i hybu celfyddyd fel llawforwyn eu crefydd. Symlrwydd a llymder bywyd y Sistersiaid oedd yn cael ei adlewyrchu yn eglwysi eu cyfnod. Rheolau'r Urdd oedd gwrthod clochdy cerrig, ac ni ellid rhoi cerflun yn yr eglwysi ag eithrio cerflun o Grist. Roedd yn rhaid i'r urddwisgoedd fod o ddefnydd bras, ac ni chaniateid gemau gwerthfawr ar y llestri cymun. Fe allai'r Urdd fod wedi dylanwadu ar bensaernïaeth eglwysig Cymru ond bu'n rhaid aros hyd nes y bymthegfed ganrif cyn i'r ofn hwn o gelfyddyd gain ddiflannu, ond erbyn hyn roedd dylanwad yr Urdd wedi peidio â bod.

Adfywiad Gothig

Yn ystod y ddeunawfed ganrif pan yr oedd diffyg chwaeth yn isel mewn sawl maes, roedd rhai pobl am weld rhyw elfen o bensaernïaeth Gothig yn dod yn ôl, a gellir gweld rhai ymdrechion o hyn yn yr eglwysi.

Dechreuodd yr Adfywiad Gothig o ddifrif yn 1834 pan ailadeiladwyd Palas Westminster. Y penseiri Syr Charles Barry ac Augustus Pugin a greodd y campwaith neo-Gothig oedd yn cynnwys crefftwaith ac addurniadau o'r safon uchaf. Erbyn hyn roedd y Fictoriaid yn dechrau adweithio yn erbyn yr hyn yr oeddynt yn ei alw'n bensaernïaeth ddi-chwaeth y ddeunawfed ganrif. Roedd y dulliau clasurol yn cael eu hystyried yn baganaidd, a daeth galw am ddychwelyd i'r gwir bensaernïaeth Gristnogol sef pensaernïaeth Gothig y drydedd ganrif ar ddeg a'r bedwaredd ganrif ar ddeg.

Nid oedd yr Adfywiad Gothig, fodd bynnag, yn ymwneud â phensaernïaeth yn unig, oblegid roedd wedi'i ysbrydoli gan ddelfrydwyr megis John Ruskin (1819-1900). Credent mai dim ond y rhai oedd yn byw bywyd cyfiawn a moesol oedd yn medru creu rhywbeth gwerthfawr, ac roedd pob math o waith artiffisial yn hollol annerbyniol iddynt. Yr oedd egwyddorion gorau pensaernïaeth Gothig, sef arddull oedd yn nodweddiadol o'r drydedd a'r bedwaredd ganrif ar ddeg, a'r un a ystyriwyd yr unig bensaernïaeth bur, wedi eu gosod allan yn y cylchgrawn *The Ecclesiologist*. Daeth Syr George Gilbert Scott (1811-1878) yn flaenllaw yn y cyffroad hwn yn y cyfnod 1855-1885 pan oedd adeiladu ac ailadeiladu eglwysi yn eu bri.

Pensaernïaeth Normanaidd a Gothig

Drws Normanaidd Abaty Ystrad Fflur c.1175

Seisnig Cynnar 1260

Addurnedig 1320

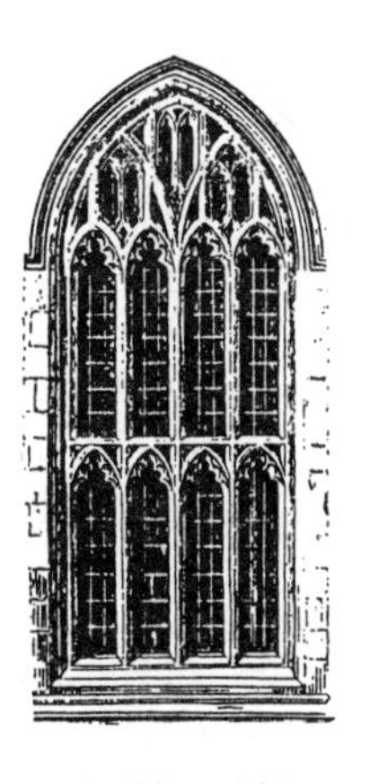

Sythlin 1386

Mudiad Rhydychen

Dros y canrifoedd mae sawl mudiad wedi dylanwadu ar yr Eglwys Wladol mewn rhyw ffordd neu'i gilydd boed hynny'n ymwneud â chynllun yr adeiladau neu drefn y gwasanaethau.

Un o'r mudiadau hynny oedd Mudiad Rhydychen. Bwriad hwn oedd ceisio adfer y sacramentau a'r seremonïau ac ati oedd wedi eu colli ar ôl y Diwygiad Protestannaidd, yn ogystal â sicrhau bod mwy o urddas i'r gwasanaethau. Roeddynt yn mynnu cynnal dau wasanaeth dyddiol – hynny yw, darllen y gweddïau boreuol a'r hwyrol, ac anelent at weinyddu'r cymun bob wythnos yn ogystal ag adfer y sacrament o benydu.

Erbyn 1832 roedd galw mawr am ddiwygio'r Eglwys Wladol. Yr oedd problemau ynglŷn ag aml-blwyfiaeth, ac anghyfiawnder mewn cyflogau'n achosi pryder mawr. Er bod newidiadau yn yr arfaeth yr oedd yna hefyd garfan o uchel-eglwyswyr yn anfodlon iawn ar y newidiadau hynny.

Yr oedd yr 1830au'n amser pryderus iawn i nifer fawr o eglwyswyr. Ychydig ohonynt a fyddai wedi gallu rhagweld mor ddiymadferth fyddai'r Eglwys wyneb yn wyneb â'r Wladwriaeth a oedd yn benderfynol i'w newid ac i ailddosbarthu ei heiddo. Nid oeddynt yn gallu derbyn y syniad fod diwygio'r Eglwys i ddod o'r Llywodraeth ac nid o'r Eglwys ei hun. Roeddynt yn haeru fod awdurdod yr Eglwys yn deillio o'r ffaith fod yr esgobion yn dod o Olyniaeth Apostolaidd.

Dechreuodd Mudiad Rhydychen ym mis Gorffennaf 1833 pan bregethodd John Keeble (1792-1866) yn Rhydychen yn erbyn mesur seneddol i ddileu deg o esgobaethau Gwyddelig. Rhwng 1833 a 1841 fe gyhoeddodd Keebl, Edward Pussey

(1800-1882) a John Newman (1801-1890) nifer o bamffledi *(Tracts of the Times)* yn gosod allan eu syniadau. Credent fod ymosodiadau ar yr Eglwys yn cael eu gwneud gan gyfraith wladol, a byddai Deddf Ddiwygio 1832 yn cryfhau grym y 'rhyddfrydwyr a'r anghydffurfwyr'. Roeddynt am amddiffyn yr Eglwys Anglicanaidd fel sefydliad dwyfol ac ailddatgan ei hawdurdod, ac roeddynt hefyd yn amddiffyn yr athrawiaeth o Olyniaeth Apostolaidd a derbyn y *Llyfr Gweddi Cyffredin* fel rheol i'w ffydd.

Cawsai aelodau'r mudiad eu hadnabod fel 'Y Tractariaid'; rhoddent bwyslais mawr ar weinidogaeth a seremonïau yn yr eglwysi; roedd hyn yn dangos i lawer eu bod yn bleidiol iawn i'r ffydd Babyddol.

Er i'r mudiad gael cefnogaeth gan rai pobl dylanwadol iawn, ymosodwyd arno'n chwyrn gan yr esgobion am ei fod yn ochri gormod at Rufain. Trodd nifer at Eglwys Rufain, gan gynnwys John Newman yn 1841; dyrchafwyd ef yn Gardinal yn 1879. Gydag ymadawiad Newman disgynnodd y lywyddiaeth ar ysgwyddau Pussey. Dywedodd Newman fod dylanwad a phersonoliaeth Pussey wedi bod o bwysigrwydd mawr i'r mudiad, a byddai wedi bod yn anodd iawn iddynt lwyddo hebddo yn y blynyddoedd cynnar.

Gan fod diogelu'r Eglwys rhag ymyrraeth llywodraeth seciwlar yn uchel iawn ar flaenoriaethau'r mudiad roedd hyn yn sicr o godi dadleuon mawr o blaid ac yn erbyn eu daliadau, ac mae cylchgronau Cymreig y cyfnod yn dangos yn eglur y teimladau oedd yn bodoli. Nid doeth fyddai i'r *'Pusseyites'*, fel y daethant i'w hadnabod, ddatgleu eu hunain yn Gatholigion, oherwydd byddai hyn wedi rhoi diwedd ar eu hymdrechion cyn iddynt ddechrau bron. Serch hynny, roedd yna wrthwynebiadau chwyrn i'r mudiad gan fod rhai yn ei ystyried yn rhy uchel-eglwysig; âi rhai mor bell â dweud bod yr arweinyddion yn ysbïwyr i'r Pab.

Daeth y mudiad i'w fri pan oedd difaterwch mawr ynglŷn âg adeiladau'r Eglwys a ffurf eu gwasanaethau. Yn wir, roedd angen i'r Eglwys ailfeddiannu ei sefyllfa yn y wlad ac atal y dylifiad o'u haelodau at yr Anghydffurfwyr. Roedd yr Eglwys wedi mynd yn amhoblogaidd iawn yn y cyfnod hwn ac elwai'r Anghydffurfwyr ar ei amhoblogrwydd. Yn ei hunangofiant, mae Robert Roberts, y 'Sgolor Mawr' yn rhoi darlun byw iawn o'r sefyllfa yng Ngogledd Cymru ynghyd â dylanwad y mudiad ar yr eglwysi. Roedd eu cyflwr yn cael ei gyplysu ganddo a'r gwendidau oedd yn deillio o'r Seisnigrwydd a nepotiaeth a oedd wedi bod yn elyniaethus i'w thyfiant a'i phoblogrwydd ers cenedlaethau.

Wrth i'r mudiad lwyddo rhoddwyd pwyslais ar ddefodaeth yn y gwasanaethau, sef y defodau hynny a fodolai cyn y Diwygiad Protestannaidd. Arweiniodd hyn at wisgo gwenwisg yn lle gŵn ddu, a wynebu'r allor yn y cymun gan droi cefn ar y gynulleidfa. Daeth goleuo dwy gannwyll ar yr allor yn arferiad pwysig. Mae'n anodd i ni heddiw ddychmygu fel y bu i hyn arwain at gymaint o derfysg mewn ambell eglwys.

Cafodd y mudiad hefyd ddylanwad ar bensaernïaeth eglwysig a cherfluniaeth. Cafodd pensaernïaeth ac addurniadau Gothig ddylanwad mawr mewn eglwysi newydd er gwaetha'r ffaith fod yr adfywiad Gothig wedi rhagflaenu'r mudiad wrth i'r eglwysi gael eu hadnewyddu yn ystod dechrau'r bedwaredd ganrif ar bymtheg. Nid oedd yr uchel-eglwyswyr yn hoff o draddodiad clasurol y ddeunawfed ganrif na'r eglwysi a ymdebygai i gapeli o'r tu allan. Yr oedd hyn eto'n arwain fwyfwy i dderbyn yr adfywiad Gothig, ac yn gosod canllawiau i eraill eu dilyn.

Un Cymro a oedd yn amlwg a gweithgar iawn wrth sefydlu'r mudiad oedd Isaac Williams; roedd yn fab i fargyfreithiwr cefnog o Lundain a oedd yn enedigol o Cwmcynfelin, ger Aberystwyth. Cafodd ei addysg yn ysgol Harrow a Choleg y Drindod, Rhydychen a graddiodd yn B.A. ac M.A. cyn dod yn gymrodor o'i goleg.

Yn Llangorwen, ger Aberystwyth yr adeiladwyd yr eglwys gyntaf i ledaenu'r efengyl Dractaraidd gan deulu Isaac Williams yn 1841, ac yn fuan iawn fe'i galwyd yn 'eglwys Buseyaidd'. Ynddi fe welir allor o garreg – un o'r ychydig rai a wnaed o garreg yn dilyn y Diwygiad Protestannaidd. Yn Llangorwen hefyd y dechreuwyd yr arferiad i'r offeiriad wisgo'r wenwisg yn lle'r gŵn ddu.

O'r diwrnod yr agorwyd eglwys Llangorwen parhaodd gweddïau dyddiol ynddi am 20 mlynedd. Cedwid yma holl wyliau eglwysig. Roedd Isaac Williams ymhlith arloeswyr cynnar yr adfywiad eglwysig yng Nghymru. Drwy ei gysylltiad â Newman yr oedd yng nghanol symudiad uchel-eglwysig yn y brifysgol. Cymrodd ran flaenllaw wrth gyhoeddi *Traethodau i'r Amseroedd*. Roedd wedi ei drwytho yn hen ddiwinyddiaeth yr Eglwys fel na themptiwyd mohono erioed gan egwyddorion ac arferion Eglwys Rufain, ni fynnai ddarostwng i'r babaeth. Ni allai gytuno â thueddiadau pabyddol Newman.

Yn eglwys Llangorwen gellir gweld darllenfa ar ffurf eryr sydd wedi'i cherfio o un darn o dderw a oedd yn rhodd gan John Keeble. Yno hefyd mae chwe chanwyllbren fforchog efydd o gynllun Gothig. Credir bod y rhain hefyd yn rhodd gan John Newman.

Pan ddaeth ambell eglwys i ddefnyddio darllenfa ar ffurf eryr gyda'i esgyll ar led roedd hyn, i rai, yn gyfystyr bron â'u bod wedi gadael i'r diafol ei hun ddod i mewn i'r eglwys. Heddiw, fe welir darllenfeydd o'r fath mewn nifer fawr o eglwysi.

Yr unig esgob yng Nghymru i ddangos cefnogaeth i'r mudiad ar y cychwyn oedd Christopher Bethell, esgob Bangor (1830-1859). I'w esgobaeth ef daeth nifer o glerigwyr ieuainc a oedd wedi dod o dan ddylanwad y mudiad ac yn frwd i ledaenu eu hegwyddorion; yn eu plith yr oedd Philip Constable Ellis, Morris Williams (Nicander) ac Evan Lewis a ddaeth yn Ddeon Bangor. Bernir fod un rhan o dair o glerigwyr yr esgobaeth yn gefnogwyr selog o'r mudiad pan fu Bethell farw.

Adeiladwyd eglwys newydd ym mhlwyf Llanllechid, sir Gaernarfon yn 1846, a disgrifia Robert Roberts 'y Sgolor Mawr' hi: *'in the early English style of architecture, plain but neat, with open seats and other accessories of the revival'*.

Gofid i lawer, fodd bynnag, oedd gweld y mudiad yn llwyddo ac yn arbennig felly pan yn 'goleuo canhwyllau hirion ar yr allor, cyfodi croes goruwch bwrdd y cymun, addurno eglwysi â darluniau a chroesau a delwau a seintiau, a pharch ofergoelus i wenwisg yr offeiriad a defodau gwrthun Pabyddol eraill'.

Cyn y Diwygiad Protestannaidd bu'n arferiad i osod un gannwyll ar yr allor neu yn sicr dim mwy na dwy – un o bobty'r Groes. Wedi hynny tyfodd yr arferiad i roi unrhyw nifer o ganhwyllau, ac fe ystyrid tair o bobty'r Groes yn fwy effeithiol. Cafwyd gwrthwynebiad cryf ynglŷn â'r mater hyn hefyd, ac yn 1890 fe aethpwyd i gyfraith i herio'r hawl i osod cymaint o ganhwyllau, ond fe gadarnhawyd yr arferiad.

Iconostasis a Llofft y Grog

Yr oedd gwasanaethau'r eglwysi cynnar yn nodweddiadol o'r ysbryd o barch angerddol a berthynai iddynt. Roedd yn bwysig iawn fod y gwahaniaeth mawr rhwng yr offeiriad a'i gynulleidfa yn cael ei gadw mewn ffurf a oedd yn eglur i bawb. I ddangos hyn, codwyd barrau o goed gyda lliain drostynt i gau'r allor o olwg y gynulleidfa, a dyna oedd y sgriniau cynharaf. Roedd yn weithred anghysegredig i unrhyw un heblaw am offeiriad, i fynd drwy'r llen.

Gyda threiglad y blynyddoedd daeth y sgrîn yn bwysig iawn; defnyddid y lliain ar adegau arbennig yn unig, ac arweiniodd hyn i sgriniau fwy parhaol gael eu mabwysiadu. Mae hyn yn hynod debyg i'r Tabernacl Iddewig y cyfeirir ato yn *Llyfr Exodus*, Pennod xxvi:

> 31. A gwna wahanlen o sidan glas, porphor, ac ysgarlad, ac o lian main cyfrodedd: â cherubiaid o waith cywrain y gwna hi.
> 32. A dod hi ar bedair colofn o goed Sittin wedi eu gwisgo ag aur; a'u pennau o aur, ar bedair mortais arian.
> 33. A dod y wahanlen wrth y bachau, fel y gellych ddwyn yno arch y dystiolaeth: a'r wahanlen a wna wahân i chwi rhwng y cysegr a'r cysegr sancteiddiolaf.

Daethai'r trawst a ddaliai'r lliain i'w gael ei ddefnyddio i ddal canhwyllau a delwau – a dyna gychwyn yr Iconostasis – yr enw a ddefnyddid yn eglwysi'r dwyrain am sgrîn i ddal delwau neu baentiadau.

Wrth i'r sgrîn ennill pwysigrwydd câi'r crefftwyr gyfle i

ddangos eu gallu ac i greu'r rhwyllwaith arbennig a welir yn sgriniau'r Canol Oesoedd. Y sgrîn felly oedd yn creu'r rhwystr i bersonau heb awdurdod i fynd drwyddi ac a elwid yn Lladin *Cancelli* (dyna ble y daeth y gair 'chancel' a 'cangell' i fodolaeth).

Yr oedd y Parchedig Richard Hooker (1553-1600), diwinydd dylanwadol iawn yn oes Elisabeth I, ac un a fu'n bennaf gyfrifol am ddiwygio ac ad-drefnu'r Eglwys yn ei gyfnod, yn rhoi pwysigrwydd mawr ar gadw'r gangell ar wahân, ac meddai:

> *Our churches are places provided that the people may there assemble themselves in due and decent manner according to their several degrees and order. Which thing being common unto us with Jews, we have in this respect our churches divided by certain partitions, though not so many in numbers as theirs . . . There being in ours for local distinction between the clergy and the rest . . . but one partition, the cause whereof at the first (it seemeth) was, that as many as were capable of the Holy Mysteries might there assemble themselves, and no other creep amongst them.*

Ymhen hanner canrif ar ôl Hooker roedd un esgob yn Lloegr yn holi ei eglwysi fel hyn:

> *Is your chancel divided from the nave or body of your church with a partition of stone, boards, wainscot, gates or otherwise? Wherein is there a decent strong door to open or shut (as occasion serveth), with lock and key to keep out boys, girls, or irrverent men and women?*

Credir mai yn nechrau'r bedwaredd ganrif ar ddeg daeth yr arfer o godi sgriniau yn eglwysi'r plwyf i fodolaeth; cyn hyn, dim ond yn yr eglwysi mawr yr oeddynt i'w gweld. Roedd o leiaf ddau reswm dros eu gosod – yn gyntaf, daethai cwlt y seintiau'n bwysig iawn ac roedd angen rhoi cerfluniau neu luniau ohonynt ar baneli; roedd y sgrîn felly yn ymdebygu i'r Iconostasis yn eglwysi'r dwyrain – ac yn ail fe osodwyd y grog, a oedd gynt yn hongian yn y gangell i sefyll ar ben y sgrîn.

Wrth gael sgrîn soled, mater bychan wedyn oedd codi llofft

uwch ei phen, a dyna gychwyn llofft y grog.

Roedd dau reswm pwysig dros fodolaeth llofft y grog. Yn gyntaf, fe'i defnyddid i roi pulpud ynddi ar gyfer darllen y Beibl ac i ganu'r Salmau ac ati. Daeth canu'r Salmau'n bwysicach gydag amser, a byddai'r llofft yn cael ei defnyddio gan y cantorion yn unig.

Yr ail reswm oedd iddi gael ei defnyddio fel Iconostasis i ddal y Grog, lampau neu ganhwyllau ac roedd ambell un hefyd yn dal allor fechan. Fe'i defnyddid hefyd i ddal lliain a fyddai'n cuddio'r Grog ar adegau. Ar y blaen roedd lluniau neu gerfluniau o'r Seintiau a'r Apostolion yn cael eu dangos ynghyd â symbolau neu arfau bonedd.

Fel Iconostasis roedd y llofft yn cael ei chondemnio yn adeg y Diwygiad Protestannaidd, ac oherwydd natur ofergoelus y bobl, gwaharddwyd hi rhag dal y cerfluniau a nodir uchod. Serch hynny, roedd rhai lluniau'n cael aros os oedd iddynt unrhyw elfen addysgiadol.

Nid ymddengys fod unrhyw wrthwynebiad i'r llofft gael ei defnyddio fel pulpud, ond daeth y defnydd hwn i ben wrth i bulpudau gael eu codi yng nghorff yr eglwysi. Caent eu defnyddio gan y cantorion ymhell ar ôl cyfnod y Diwygiad Protestannaidd.

Y cam enfawr a gymrodd Harri VIII i ddileu'r mynachlogydd oedd yr hyn a arweiniodd at y Diwygiad Protestannaidd, a golygai hyn ddifrodi nifer o eglwysi. O ganlyniad, aeth nifer fawr o waith coed cerfiedig y mynachlogydd i'r pedwar gwynt, a pheth ohono i'r eglwysi – ond prin iawn yw unrhyw dystiolaeth o hyn, ond mae lle cryf i gredu fod sgrîn eglwys Trefaldwyn wedi dod o Abaty Churbury.

Roedd y flwyddyn 1547 yn flwyddyn o bwys mawr i'r eglwysi plwyf, oblegid cyn hyn ychydig iawn o newid oedd wedi digwydd y tu fewn iddynt. Roedd rhoi canhwyllau o flaen y cerfluniau wedi'i wahardd yn 1538 pryd y deddfwyd mai: *'onely that light that might commonly goeth about the crosse of the church by the roodloft, the light before the Sacrament of the Altar, and the light above the sepulchure'* oedd i'w ganiatáu. Yn 1547 deddfwyd fod pob cannwyll i'w cael eu gwahardd ag eithrio y ddwy ar yr allor, a hyn *'for the signification "that Christ is the very true Light of the World" they shall suffer to remain'*. Yr un pryd roedd pob eilun a oedd wedi ei gamddefnyddio gan y pererinion, ac unrhyw beth y priodolid gwyrth iddo, i'w ddinistrio. Yn fuan iawn wedyn, daeth gorchymyn arall yn gwahardd pob eilun yn ddiwahân.

Efallai fod dinistrio'r eilunod yn nheyrnasiad Edward VI wedi bod yn gyfrifol am ddifetha wyneb y llofftydd ond nid oedd y llofft fel y cyfryw yn cael ei chondemnio. Mewn rhai eglwysi fe baentiwyd y Deg Gorchymyn, Gweddi'r Arglwydd, y Credo a'r Gwynfydau yn lle rhai o'r addurniadau.

Gwelodd blynyddoedd olaf Edward VI ddifrodi mawr ar yr eglwysi wrth i'r eilunod, ffrescos a'r allorau ynghyd â'r reredos gael eu chwalu.

Roedd difetha harddwch yr eglwysi'n ofid mawr i'r bobl a oedd yn dal i deimlo'n un â hwy. Yn ein dyddiau ni o ryddid pan mae ein hawliau a'n cartrefi'n gysegredig bron, a phob math o waith artistig o fewn cyrraedd pawb, mae'n anodd amgyffred cymaint yr oedd yr eglwysi gyda'u symbolau cysegredig a'u cerfluniau yn ei olygu i'r bobl. Am fod eu cartrefi mor wael a diaddurn roedd yr eglwysi'n cynnig hafan deg o broblemau bob dydd, ac yno yr oeddynt yn encilio ac yn cael iachawdwriaeth.

Pan ddaeth Mari i deyrnasu yn 1553 gwnaed ymdrech i adfer yr eglwysi i'w cyflwr cyn 1547, a chodwyd cerfluniau newydd i gymryd lle'r rhai a ddifethwyd. Meddai Pugin:

> *Everything was done to remove the objectionable things that had been introduced during Edward's reign. The text of Scripture that had been placed on the screen and walls were washed out, and in one instance, the cloth painted with the Commandments which had hung before the screen was taken down and cut into surplices.*

Mae'n bwysig sylwi'n fanwl ar y termau a ddefnyddiwyd yn y gorchmynion ynglŷn â llofftydd y grog. Nid oedd y gorchmynion hyn yn bendant ar dynnu'r llofftydd i lawr, ond i'w *'alter', 'reform', 'transport' or 'translate'*. Awgryma hyn nad oedd gwrthwynebiad i'r llofftydd fel y cyfryw ond, yn hytrach i'r gwaith tabernaclog a oedd yn cael ei ystyried i fod yn annerbyniol. Roedd hyn yn galluogi'r cerddorion a'u offerynnau i barhau i'w defnyddio.

Er mai llofft y grog oedd prif ogoniant yr eglwysi, fe chwalwyd y gogoniant hwnnw yn oes Elisabeth I, ac mae'n debyg iawn mai'r rhai nad oedd yn cynnwys cerfluniau neu baentiadau o'r seintiau a gadwyd am nad oeddynt o ddiddordeb i sêl eiconoclastig y 'diwygwyr'. Mae'n sicr hefyd nad oedd y rhwyllwaith a'r addurniadau oedd yn aros yn rhy dramgwyddus i'r Piwritaniaid.

Bu cyfnod Cromwell yn ei dro yn gyfrifol am chwalu mwy o'r llofftydd hyn, ond heb unrhyw amheuaeth, 'adferwyr' y bedwaredd ganrif ar bymtheg a wnaeth y difrod mwyaf. Hefyd, cododd to o glerigwyr Efengylaidd nad oeddynt yn hoffi nac yn deall y sgriniau. Roedd yn well ganddynt eglwysi hollol agored heb unrhyw rwystriad i alluogi'r offeiriaid a'r gynulleidfa i gyd-addoli heb yr ymdeimlad o'r hen raniadau a ystyrient, nid yn unig yn ddianghenraid, ond yn rwystr i addoli. Yr oedd yn bwysig i'r offeiriad gael ei weld a'i glywed gan y gynulleidfa i gyd.

Ar gychwyn y ddeunawfed ganrif roedd tueddiad i fabwysiadu trefniadau newydd gan yr Eglwys. Roedd yr hen draddodiadau'n gwegian a syniadau newydd yn dod fwy i'r amlwg gan anwybyddu'r hen egwyddorion yn llwyr bron. Yn ogystal â hyn, daeth cyfnod o ddifaterwch mewn materion eglwysig.

Er i'r ganrif ddod â chyffroadau yn ei sgîl, ychydig o ystyriaeth a roddwyd i drobwyntiau traddodiadol yn hanes yr Eglwys. Roedd y sêl Efengylaidd yn mynd rhagddi, a'r hen draddodiadau oedd wedi bodoli er ei dyddiau cynnar yn cael eu hystyried yn elfennau Pabyddol.

Erbyn diwedd y ddeunawfed ganrif roedd yr arfer o godi llofft i'r cantorion ar ochr orllewinol yr eglwysi wedi ei dderbyn yn gyffredinol, a hyn eto yn un o'r ffactorau oedd yn gyfrifol am ddiflaniad terfynol llofft y grog.

Yr enghraifft orau yng Nghymru o lofft sy'n debyg iawn i'r Iconostasis yw'r un sydd yn eglwys Llananno, sir Faesyfed, gyda'i phump ar hugain o gerfluniau o Broffwydi'r Hen Destament, y Seintiau a'r Apostolion. Mae'n ddiddorol sylwi mor debyg yw'r sgrîn a'r llofft hon i'r Iconostasis a welir yn eglwys Kerfons yn Llydaw – mae yn honno hefyd bymtheg o gerfluniau o'r Seintiau.

Sgriniau I

Yn ystod y ddeunawfed ganrif, a'r bedwaredd ganrif ar bymtheg bu'n ffasiwn, os nad mympwy, i ddinistrio llawer o lofftydd crog yr Oesoedd Canol, ond o drugaredd, ni ddigwyddodd hyn ym mhob ardal er i ambell ranbarth ddioddef yn arw. Er enghraifft, dim ond un sgrîn a welir yn sir Fôn heddiw, ac mae honno'n un arbennig iawn sydd i'w gweld yn eglwys Llaneilian ger Amlwch. Y sgrîn a llofft y grog fyddai prif ogoniant eglwysi Cymru yn niwedd cyfnod yr Oesoedd Canol. Er bod sgriniau'n bodoli yn ystod y bedwaredd ganrif ar ddeg, perthyn i'r bymthegfed ganrif a'r unfed ganrif ar bymtheg y mae'r rhan fwyaf ohonynt, ac y mae'r rhai sydd wedi goroesi yn deilwng o ofal mawr.

Dywed Syr Samuel Rush Meyrick (1783-1848), awdur y gyfrol *History and Antiquities of the County of Cardigan* a gyhoeddwyd yn 1809 nad oedd ond wyth sgrîn ar gael yn y sir honno y pryd hynny, sef yn Llanbedr Pont Steffan, Ysbyty Ystwyth, Llanddeiniol, Llanilar, Llanwnnen, Llanbadarn Fawr, Ystrad a Llangeitho. Am sgrîn Llanbadarn Fawr mae yn rhoi adroddiad fel hyn:

> *The chancel and north transept are separated from the rest of the church by a light and elegant carved screen, which from the elaborate workmanship they display, were probably erected about the time of Henry VII. It is coloured red, green and yellow, and though once very brilliant, are now so covered with dirt as to be scarcely perceptible.*

Yn 1903 cafwyd hanes am atgyweirio'r eglwys hon yn 1869

pan naddwyd y plastr a chwalwyd y lluniau oedd arno; nid oedd angen gwneud hyn, ond nid oedd gan y Ficer ar y pryd unrhyw ddiddordeb ynddynt. Galwai rhai i'r gwaith gael ei achub o ddwylo'r adeiladwr am nad oedd ganddo'r cymwysterau priodol i weithio ar un o eglwysi mwyaf hanesyddol y sir, ond disgyn ar glustiau byddar a wnaeth yr alwad.

Yr oedd rhai haneswyr wedi ymweld â'r eglwys pan oedd y gwaith ar gychwyn, ac fe roddodd un ohonynt adroddiad o'r hyn a welodd:

> Fe aethym i weld y ffresgos ar furiau eglwys Llanbadarn Fawr ac er eu bod yn awr yn amherffaith y maent yn haeddu sylw a'u cofnodi.
>
> Pan oedd y seiri meini yn tynnu i lawr y wal orllewinol gwelwyd fod amrywiaeth o liwiau o dan y gwyngalch a chymhellodd hyn iddynt edrych yn fwy gofalus a thrwy hyn ddarganfod llythrennau ac arysgrifau ynghyd â ffigyrau llawn maint mewn ffresgos, ac un panel yn mesur un ar bymtheg llathen sgwâr. Roedd eraill wedi eu dinistrio'n llwyr gan y gweithwyr. Y prif ffigwr oedd Sant Pedr a'i law ddehau yn ymestyn tuag at lewes neu lewpard yn gorwedd yn ymyl ei ffau castellog ac asyn i'w weld uwchben ei law. Roedd allwedd yn ei law; porffor ac ysgarled oedd lliwiau gwreiddiol ei wisg ond roedd effaith y gwyngalch ar y lliw ysgarled wedi ei newid yn llwyd a'r porffor wedi ei newid yn liw glas goleu. Roedd y wisg yn debyg i'r toga Rhufeinig. Nid oedd unrhyw arysgrif o dan y ffresgo. Mae darlun arall yn portreadu gŵr mewn maelwisg a chanddo darian fawr yn ei law, ac ar ei ben fe ymddengys rhywbeth sydd yn debyg i goron fechan. Mae arysgrif Gymraeg o dan y ffresgo hwn.
>
> Yr hyn sydd yn ddiddorol am y ffresgos hyn yw eu bod yn cynrychioli tri chyfnod gwahanol. Yn gyntaf, roedd y lliwiau gwreiddiol o borffor ac ysgarled wedi eu gwyngalchu a'u lliwio'n felyn a'r arysgrif mewn llythrennau mawr du. Yna,

fe'u gwyngalchwyd unwaith yn rhagor a'u hail liwio yn frown. Mae'r llythrennau yn nodweddiadol o waith y bymthegfed ganrif ond oherwydd fod amser neu ddyn wedi eu hagro ni ellir darllen ond 'Pardon' a 'Dedd' erbyn hyn.

Yn y flwyddyn 1111 fe ailadeiladwyd yr eglwys gan Gilbert Strongbow, Iarll Strygil a'i rhoi ganddo i Abaty Sant Pedr yng Nghaerloyw. Mae'n rhesymol felly i feddwl fod y ffresgo o Sant Pedr wedi ei roi fel arwydd o barch tuag at y fynachlog yng Nghaerloyw. Gall y ffigiwr arall o ŵr mewn maelwisg gynrychioli Gilbert Strongbow, Iarll Strygil, fel arwydd o geisio cymodi Cymry'r ardal â'r Iarll a oedd wedi eu gorchfygu.

Mae'r ffresgos ardderchog yma wedi eu dinistrio am byth yn awr er mawr gywilydd i'r pensaer ac i'r awdurdodau sydd yn gyfrifol am y gwaith. Mae'r fath fandaliaeth yn hollol annheilwng o sir Geredigion ac yn dangos yn eglur y gwahaniaeth rhwng y de a'r gogledd yn eu chwaeth bensaernïol. Mae trigolion Gwrecsam wedi cadw y ffesgos a ddarganfyddwyd o dan y gwyngalch yn yr eglwys yno er nad oeddynt mewn cystal cyflwr â'r rhai yn Llanbadarn Fawr.

Roedd ffresgos Llanbadarn Fawr wedi goroesi prawf amser o 1111 hyd 1869 ond i gael eu dinistrio am byth – trysorau colledig! Syrthio ar glustiau byddar a wnaeth pob apêl yn Llanbadarn Fawr fel mewn sawl eglwys yng Nghymru.

Erbyn hyn, ychydig o'r gogoniant a fu sy'n aros, ac nid yw'r hyn a ddigwyddodd yn Llanbadarn Fawr ond yn tanlinellu agwedd oes Fictoria tuag at bensaernïaeth eglwysig boed hynny'n ymwneud â'r adeiladau eu hunain, y ffresgos neu'r sgriniau.

O'r dyddiau cynharaf, roedd yr eglwys wedi ei rhannu gan ryw fath o sgrîn rhwng y gangell a chorff yr eglwys. Ar y cychwyn roedd y sgrîn yn syml ac yn isel iawn, yna fe'i codwyd a'i cherfio'n foethus. Nid oedd llofft uwch ei phen bob amser, ond yr oedd y grog wedi'i gosod arni.

Er na wyddom pwy oedd y crefftwyr dawnus a fu'n gyfrifol am greu'r sgriniau, mae'n debyg y byddai yna ganolfannau yma ac acw'n gwneud y gwaith hwn i ardaloedd gweddol eang. Mewn erthygl yn 1947, sonia'r Canon Maurice H. Ridgeway B.A., F.S.A., y prif awdurdod ar sgriniau Cymru am ganolfannau Trefaldwyn a'r Drenewydd. Yn yr erthygl hon dengys mai un o nodweddion cynhenid y canolfannau hyn oedd dealltwriaeth greddfol y crefftwyr o natur a chryfder y coed a ddefnyddient. Roedd hyn yn rhoi rhyddid iddynt o unrhyw rwystrau pensaernïol. Daeth lliwiau'n boblogaidd hefyd, ac roedd hyn yn caniatáu i'r crefftwyr gyfoethogi eu gwaith a defnyddio'r lliwiau i ddangos golau a chysgodion am y tro cyntaf. Dyma wir grefftwaith nad yw'n cael ei gydnabod gan lawer heddiw.

Yn wir, nid oedd gan grefftwyr y Canol Oesoedd unrhyw betruster o ddefnyddio lliwiau llachar, ac roedd llawer o waith coed yr eglwysi wedi eu lliwio'n foethus a'u heuro. Nid oes yr un sgrîn yng Nghymru erbyn heddiw wedi cadw ei lliwiau gwreiddiol, a'r hyn oll a welwn yw ambell i banel wedi cael ei ddefnyddio fel 'reredos'. Byddai pob un o'r delwau wedi eu paentio hefyd. Canai Siôn Cent (1400-1430):

A phaentiwr delw â phwyntel,
Yn paentio delwau lawer,
A llu o saint â lliw sêr.

Ni all unrhyw ddisgrifiad ysgrifenedig gyfleu gogoniant y sgriniau hyn.

Os oedd y gwaith cerfio ar adegau yn ymddangos yn arw, meddai Ridgway, roedd y gwaith gorffenedig yn edrych yn feistrolgar. Os ymddangosai'r crefftwyr yn or-frwdfrydig yn eu cerfiadau ar adegau, y rheswm am hyn oedd eu bod yn ymhyfrydu yn eu gwaith. Roedd edrych ar y gwaith yn agos yn galw am gerfio manwl a chlir, ond os mai o bell yr oedd i'w weld, yna gallai'r cerfio fod yn fwy garw. Mae'n ddiddorol edrych ar y gwaith hwn yn fanwl heddiw er mwyn gweld fel yr oedd y crefftwyr yn gweithio a sylwi ar ôl y cynion, ac mae'n llawer mwy diddorol na gwaith modern tebyg sydd wedi'i wneud â pheiriannau.

Nid oes amheuaeth mai crefftwyr dawnus oedd y bobl hyn, a thrychineb o'r mwyaf yw fod cymaint o'u gwaith wedi ei golli, megis sgrîn eglwys y Drenewydd. Rydym yn gorfod dibynnu ar luniau John Parker i werthfawrogi'r sgrîn honno a'i chymharu â sgrîn Llananno.

Hawdd yw cytuno â Ridgway pan ddywed fod yr enghreifftiau hyn yn byrlymu o fywiogrwydd ac yn llawn gwreiddioldeb, ac y dylent yn sicr fod yn rhai o brif bileri ein treftadaeth. Fel y dywedodd Syr Gilbert Scott, ni ddylent erioed fod wedi eu gadael yng ngofal rhai 'nad oedd ganddynt y cymwysterau na'r diddordeb' i ofalu amdanynt. Erbyn y bedwaredd ganrif ar bymtheg roedd crefftwaith a cheinder y math yma o waith wedi colli ei apêl.

Nid yw rhannu'r gangell o gorff yr eglwys gyda sgrîn yn unigryw i eglwysi'r gorllewin nac ychwaith i unrhyw ddylanwad Celtaidd. Yn ei lyfr *Liturgy and Ritual of the Celtic Church* fe ddywed Warren:

> Roedd y Llen, a oedd yn rhan annatod o ddefod y Deml, hefyd yn bwysig yn eglwysi ein hynafiaid cynnar. Fe'i defnyddiwyd rhwng y gangell â chorff yr eglwys hyd ddiwedd y ddeuddegfed ganrif, ac yna, ar ôl hynny hyd at y Diwygiad Protestannaidd, fe'i defnyddiwyd o noson cyn Sul y Grawys hyd at ddydd Iau cyn y Pasg pryd y cyfeiriwyd ati fel Llen y Grawys. Yn y cyfnod cynharaf mae'n debyg mai'r llen yn unig a fyddai'n gwahanu'r Seintwar oddi wrth gorff yr eglwys, ond fel aeth amser yn ei flaen fe ddaeth yn sgrîn soled.

Gan nad oes dim o waith ein hynafiaid Celtaidd wedi goroesi, rydym yn ddibynnol ar hynny o wybodaeth a ellir ei gasglu oddi wrth waith ysgrifenedig cynnar. Mae'n eglur oddi wrth yr hen ddisgrifiadau hyn y byddai yna sgrîn soled rhwng y gangell a chorff yr eglwys a drws yn ei chanol a'r sgrîn honno wedi ei haddurno â lluniau.

Nid bwriad pob sgrîn a llofft y grog oedd i ddal yr organ a'r cantorion a'u hofferynnau, ac felly mae llawer ohonynt wedi eu dinistrio am nad oeddynt yn ddigon cryf i ddal y pwysau, ond efallai fod mwy ohonynt wedi eu chwalu oherwydd newidiadau yn nhrefn y gwasanaethau. Yn ystod y bedwaredd ganrif ar bymtheg fe ddaeth yn ffasiynol i agor sgriniau'r Oesoedd Canol allan er mwyn i'r gynulleidfa deimlo eu bod yn rhan o'r gwasanaeth. Er fod gwrthwynebiad i hyn mewn rhai eglwysi, ychydig iawn o sylw a roddwyd iddynt.

Symbolaidd yn fwy na dim yw bodolaeth unrhyw fath o sgrîn wrth fynedfa'r gangell – mae'n cynrychioli'r llen yr aeth Crist drwyddi i eiriol drosom. Ond yr oedd hefyd yn dangos y gwahaniaeth a'r pellter a fodolai rhwng yr offeiriad a'r gynulleidfa.

Tybed oes gormod o bwyslais wedi ei roi ar y rhaniad rhwng y gangell a chorff yr eglwys yn y gorffennol? Fe ddywed un awdurdod ar y pwnc (yr Athro Brook):

> *The nave was very much the place for the layfolk, used by them for assembly and worship, and that until the advent of high screens in the fourteenth and fifteenth centuries it would have been possible for laymen to witness most of the offices.*

Beth bynnag oedd y rheswm gwreiddiol am fodolaeth y sgrîn roedd iddi bwysigrwydd ymarferol yn ein hen eglwysi. Yn y dyddiau cynnar cafwyd weithiau hyd at dair allor yn yr eglwysi, gyda'r brif un ar yr ochr ddwyreiniol, a'r ddwy arall o bobtu gyda'r sgrîn yn gefn iddynt ac yn ffurfio gwrthgefnau allor. Ceir enghraifft o hyn hyd heddiw yn eglwys Patrico yn sir Frycheiniog. Roedd hefyd ddwy allor debyg yn eglwys Llangwm sir Fynwy yn y dyddiau a fu.

Nid oes unrhyw amheuaeth fod gwerth artistig i'r sgriniau – er i rai ohonynt fod yn ddigon di-sylw ac ond yn ychydig o reiliau ar flaen yr allor. Ni all dim ychwanegu at ddirgelwch a rhyfeddod addoliad eglwysig na sgrîn sy'n hanner cuddio a hanner datgelu'r allor. Dywedodd Wordsworth:

Keep the charm of not too much
Part seen, imagined part.

Pan ddaeth sgrîn o goed derw i gymryd lle'r sgriniau cerrig roedd bob amser yn ddwy ran – y gwaelod yn baneli soled â gwaith cerfiedig arnynt, a'r rhan uchaf yn rhwyllog fel ei bod yn bosib i'r gynulleidfa gael golwg o'r allor. Os byddai'r eglwys yn gyfoethog neu fod noddwr cyfoethog ganddi, byddai'r paneli weithiau wedi eu paentio â lluniau o'r seintiau. Wrth edrych ar y rhai sy'n bodoli heddiw mae'n amlwg nad oedd y gost nac amser wedi bod yn ormod i'r crefftwyr greu'r trysorau hyn fel mae y gwaith ar y cornisiau'n dangos.

Mae'n ddiddorol sylwi ar yr hyn sydd wedi ei gerfio ar y sgriniau hyn; mae'r amrywiaeth o gerfiadau a geir ar ambell sgrîn yn gymorth i'w dyddio – yn aml iawn dyna'r unig gymorth sydd i'w gael. Ceir enghraifft eglur o hyn yn sgrîn eglwys Fair yng Nghonwy – mae ei hanes wedi'i cherfio yn y symbolau sydd yn ei chyfoethogi. Ynddi fe welir bathodyn Syr Richard Pole, Cwnstabl Castell Conwy o 1488 hyd ei farw yn 1504, sef crafanc coch eryr yn dal pysgodyn arian. Cyn hyn roedd Pole wedi dal swydd gyffelyb yn Llwydlo, ac yno daeth i gysylltiad agos â'r Tywysog Arthur. Gwelir bathodyn personol y tywysog, sef y dair pluen fel y byddai ef yn ei ddefnyddio; milgi a draig goch Cadwaladr. Bathodynnau brenhinol eraill a welir arni yw'r rhosyn, porthcwlis, hebog a chloeon.

Yn 1501 priododd y Tywysog Arthur â Catrin o Aragon, a'r pomgranad oedd ei bathodyn personol hithau. Ar res uchaf ochr orllewinol y sgrîn gwelir rhosyn ac oddi tanno y pomgranad sy'n cynrychioli'r Tywysog Arthur a Catrin o Aragon ac mae hyn yn gosod dyddiad gwneuthuriad y sgrîn rhywbryd tua diwedd y bymthegfed ganrif neu ddechrau'r unfed ganrif ar bymtheg.

Enghraifft arall o'r cysylltiad rhwng y sgrîn hon a Llwydlo yw fod yn y ddwy eglwys addurniadau pen-y-mainc sy'n cynnwys cilfachau bychain i ddal mân ddelweddau ac mae enghreifftiau fel hyn yn anghyffredin iawn, a hyn eto yn cadarnhau'r cysylltiad rhwng Syr Richard Pole a chestyll Conwy a Llwydlo.

Yn sicr, nid sgrîn o wneuthuriad na chynllun Cymreig yw sgrîn eglwys Conwy, ac mae'n debyg iawn mai yn Llwydlo y gwnaed y math yma o waith. Tybed ai Syr Richard Pole ei hun oedd yn gyfrifol amdani? Ond beth bynnag am hynny, yr hyn sy'n gwneud sgrîn eglwys Conwy'n arbennig yw'r ffanfowtiau godidog sydd arni ac sydd wedi eu cyfoethogi â rhwyllwaith ysgafn.

Mae'r gwaith cywrain ynghyd â'r bathodynnau herodraeth sydd i'w gweld yma ac acw arni yn enghraifft arbennig o waith gorau crefftwyr yr unfed ganrif ar bymtheg.

Nid mewn eglwysi mawr yn unig y gwelir gwaith cywrain a chyfoethog. Mae nifer fawr o eglwysi bach cefn gwlad Cymru gyda sgriniau mawreddog ynddynt, a gwelir yr enghraifft orau yng Nghymru yn eglwys Llananno yn sir Faesyfed; gellir eu gweld hefyd yn sir Drefaldwyn yn eglwys Llanwnnog, yn eglwys Llanegryn, sir Feirionnydd, ac yn eglwys Patrico, sir Frycheiniog. Mae'n werth teithio i bob un o'r rhain er mwyn gweld y sgriniau. O ran pensaernïaeth, nid oes yr un o'r eglwysi a enwyd yn haeddu sylw, ond yn sicr mae'r sgriniau a geir ynddynt yn deyrnged arbennig i'r crefftwyr anhysbys a fu'n gyfrifol amdanynt.

Rydym yn ffodus iawn fod yna nifer dda o sgriniau i'w darganfod yng Nghymru heddiw. Ychydig o'r plwyfolion oedd yn deall Saesneg yn ystod y pum mlynedd ar hugain cyntaf yn dilyn y Diwygiad Protestannaidd i gymryd sylw o'r nifer o orchmynion a wnaethpwyd ynglŷn â'r hyn a ystyrid yn addas i'w gadael yn yr eglwysi. Mae'n debyg hefyd nad oedd y Comisiynwyr a oedd yn gyfrifol am oruchwylio'r gwaith yn rhy awyddus i ymweld â'r eglwysi bychan diarffordd i edrych a oedd y gwaith angenrheidiol wedi ei gario allan.

Perthyn nodweddion arbennig i sgriniau Cymru sy'n eu gwneud yn wahanol i sgriniau Lloegr, er enghraifft y gwaith rhwyllog a geir ar ochr ddwyreiniol sgrîn Patrico a Llanegryn, a nodwedd arall yw'r cyfoeth o waith tabernaclog fel yn eglwys Llanrwst. Hefyd ceir amrywiaeth o gerfiadau o anifeiliaid ac ati yn amlach o lawer nag a welir yn eglwysi Lloegr.

Ychydig o ddylanwad crefftwaith Lloegr sydd i'w weld yng Nghymru, er efallai y byddai rhywun yn disgwyl ei weld ar y gororau. Y mae yna nifer fechan o sgriniau a wnaethpwyd yn Lloegr sydd wedi eu gosod mewn eglwysi yng Nghymru. Serch hynny, ni chawsant ddylanwad ar saernïaeth nac ar batrymau'r sgriniau. Gellir darganfod y sgriniau Seisnig hyn mewn ardaloedd lle'r oedd yna ddylanwad Seisnig yn barod megis, Conwy, Gresffordd, Pencraig neu Brynbuga. Anwybyddodd crefftwyr Cymru waith y crefftwyr Seisnig yn llwyr gan ddal at eu hannibyniaeth i'r eithaf. Cafodd arddull y Dadeni ddylanwad mawr ar gynlluniau rhai sgriniau yn Lloegr – yn arbennig felly yn Nyfnaint, ond ni chafodd fawr o ddylanwad yng Nghymru, ac nid oes ganddom yr un sgrîn a ellir ei chymharu â'r rhai o'r sir honno. Ar rai o sgriniau sir Gaer ceir enghreifftiau o arysgrif wedi eu cerfio arnynt ond nid oes unrhyw enghraifft o hyn i'w weld yng Nghymru.

Yn rhyfedd iawn, fodd bynnag, ceir sawl sgrîn yn Lloegr nid yn unig o gynllun Cymreig, ond yn amlwg o wneuthuriad Cymreig hefyd, megis eglwys St Margaret yn sir Henffordd. Mae llawer o debygrwydd rhwng y sgrîn a llofft y grog a geir yn yr eglwys hon i sgrîn eglwys Llanwnnog. Roedd sgrîn gyffelyb hefyd yn Daresbury, sir Gaer ar un amser.

Nid oedd y crefftwyr Cymreig yn hoff o ddefnyddio'r un patrymau drosodd a throsodd fel y gwelir yn aml yn Lloegr, ac mae hyn i'w weld yn eglur yn y gwaith rhwyllog ar ben y sgrîn. Yn sgrîn Llanrwst, er enghraifft, gwelir moch yn bwyta mes, ynghyd â symbolau'r Dioddefaint a brigau gwinwydd. Wrth gwrs, ceir sgriniau godidog yn Lloegr ond mae tuedd iddynt fod yn undonog gan ddilyn yr un patrymau dro ar ôl tro. Bron yn ddieithriad cerfiadau o adar a welir ar y sgriniau Seisnig hyn ac nid ydynt yn dangos yr un dychymyg a rhyddid ac a welir ar sgriniau Cymru. Cafodd sgrîn eglwys Llananno ei disgrifio unwaith fel un a oedd 'yn fyrlymus o gyfoeth a gwychder'.

Mae'r sgriniau o goed derw yn dra gwahanol i'r gwaith a wnaed ar y rhai cerrig. Roedd y crefftwyr newydd wedi llwyr ymwrthod â phatrymau'r sgriniau cerrig ac wedi ymollwng eu hunain i'r hyn yr oedd gwaith coed yn ei gynnig iddynt, ac yn ymhyfrydu yn eu rhyddid newydd. Yn sicr, y mae i'r crefftwyr hyn le unigryw yn natblygiad y sgrîn.

Ychydig iawn o sgriniau a adeiladwyd yn syth ar ôl y Diwygiad Protestannaidd, ond erbyn dechrau'r ail ganrif ar bymtheg roedd yr Eglwys yn ddigon cadarn i ymgymryd ag ailadeiladu eglwysi a sgriniau – ond heb lofft y grog ac yn sicr heb y grog y bu cymaint o feirniadu arni.

Roedd y grog wedi bod yn rhan anhepgor o'r sgrîn ers cyn dyddiau Harri VIII. Byddai'r groes wedi eu heuro, ac o bobty iddi roedd delw o'r Forwyn Fair a Sant Ioan. Bu'r gorchymyn i dynnu'r grog i lawer yn llym a'r chwalfa'n drwyadl!

Wrth i Thomas Dinley ysgrifennu am eglwys Llanrwst yn ei lyfr *An Account of the Progress of His Grace Henry, the First Duke of Beaufort through Wales in 1684* fe ddywed:

> *Over the Timber Arch of the Chancell near the Rood Loft lieth hid the anicent figure of the Crucifixionn as big as the life, this I suppose is shewn to none but the curious, and rarely to them.*

Fel ag yr oedd yr allor yn cael ei chuddio oddi wrth y gynulleidfa o'r Sul cyntaf cyn y Grawys hyd y dydd Iau cyn y Pasg felly hefyd y grog. Byddai lliain o sidan coch yn cael ei osod drosti, a cheir cyfeiriadau at hyn mewn ambell i restr eiddo yr eglwysi. Gellir hefyd weld y bachau ble hongiwyd y lliain.

Mewn rhai eglwysi lle nad oedd defnydd ffurfiol yn cael ei wneud o'r llofft fe roddwyd seddau ynddynt ar gyfer teuluoedd pwysig y plwyf.

Byddai'r gofod uwchben llofft y grog weithiau'n cael ei gau i'r to gyda'r Tympanwm. Roedd yr un yn Llanelieu, sir Frycheiniog yn un gyntefig iawn ac yn dyddio o'r bedwaredd ganrif ar ddeg, ac yn llinell gyswllt â hen eglwysi'r Celtiaid.

Dyma ddisgrifiad cynnar ohoni:

> *. . . it is closed on the eastern side by a close boarded tympanum diapered with flowers on a coloured ground of distemper, and it exhibits on its western face the Rood beam, at a considerable height above the loft, with a painted rood substituted for the more ancient carved one, the socket of which may be observed in the beam. The tympanum forms a complete barrier from the Rood loft upwards, but it is pierced with sundry small quatrefoil and other openings, which would have enabled its original occupants to view the sanctuary.*

Weithiau, byddai'r Deg Gorchymyn, y Credo a Gweddi'r Arglwydd wedi eu paentio ar y tympanwm fel yn eglwys Pennant Melangell. Yn 1560 roedd argymhellion cryf i'r eglwysi i ddefnyddio'r tympanwm i'r pwrpas yma, ac wrth gyflwyno'r cymhelliad dywedodd y Comisiynwyr:

> *. . . those who spare no cost on their private houses, but in God's House permit open decaies and ruins of coverings, walls and windowes and . . . leave the place of prayers desolate of all neet ornaments for such a place.*

Ceir awgrym cryf yma ei bod yn bryd i'r eglwysi gymryd mwy o ofal o'r adeiladau.

Gwnaed ymdrech ddifrifol yn 1547 i chwalu'r delwau o'r eglwysi, a golygai hyn fod yn rhaid tynnu'r grog i lawr yn gyntaf ynghyd â delw o'r Forwyn Fair a Sant Ioan. Yn eglwys Llananno roedd pump ar hugain o gerfluniau o broffwydi'r Hen Destament a'r Seintiau ar y sgrîn ac fe'u chwalwyd i gyd. Cafodd yr eglwys ei hailadeiladu yn 1877 ac yna yn 1880 rhoddwyd y sgrîn yn ôl yn ei lle ynghyd â cherfluniau eraill, sydd, er yn newydd, yn gweddu'n dda â'r gwaith gwreiddiol oedd arni.

Pan ddechreuwyd ar y gwaith o dynnu llofft y grog i lawr, manteisiodd sawl plwyf ar y cyfle i'w symud i'r ochr orllewinol o'r eglwys a thrwy hyn greu llofft i'r côr.

Yn 1576 gofynnai'r Archesgob Grindal i'r eglwysi:

Whether your rood loft be altered, so that the upper part thereof with the soller or loft be taken down unto the cross-beam, and that the said beam have some convenient crest put upon the same?

Ar ôl chwalu llofft y grog roedd yn demtasiwn i rai eglwysi deimlo nad oedd rhyw lawer o bwrpas i ofalu am y sgriniau, ac os oedd arian yn brin, yna roedd yn cael eu gadael heb unrhyw waith gofal a chadw hyd nes yr oedd rhaid eu tynnu i lawr er diogelwch. Mae'n bwysig sylweddoli, fodd bynnag, na fu yr un gorchymyn erioed i dynnu unrhyw sgrîn i lawr – mympwy a phenderfyniad offeiriad y plwyf oedd yn gyfrifol am chwalu nifer fawr ohonynt.

Rhannau o Sgrîn

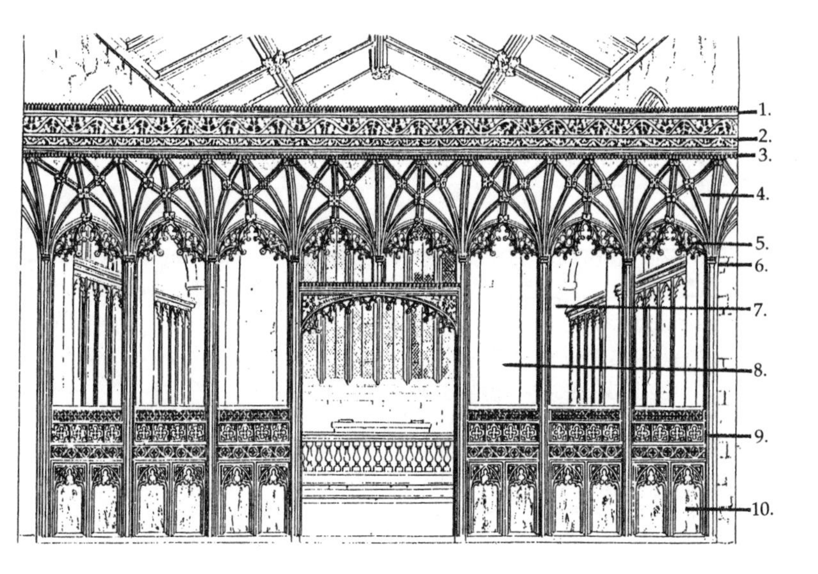

1. Crib
2. Cornis cerfiedig
3. Rheilen uchaf
4. Ffanfowt gyda boglymau
5. Copaon rhwyllog i'r bae
6. Cap
7. Mwntin
8. Bae (Sgrîn o wyth bae a dau fae yn ffurfio mynedfa i'r gangell)
9. Paneli rhwyllwaith
10. Paneli wensgotiog gydag addurniadau gosod

Misericordiau

Nid y sgrîn yn unig oedd yn rhoi cyfle i grefftwyr dyfeisgar ddangos eu talent. Gwelir enghreifftiau deniadol ar ben eithaf y seddau, mewn gwaith tabernaclog ac yn fwyaf arbennig yn y misericordiau.

Roedd diwrnod yn faith yn y mynachlogydd, ac roedd saith o wasanaethau beunyddiol i'w cynnal megis *Lauds, Prime, Tierece, Sext, Nones, Vespers* a *Compline*. Yn ychwanegol yr oedd Matins am hanner nos neu'n fuan wedyn, a chynhelid yr Uchel Offeren bob dydd – roedd yn ofynnol i'r holl gymuned fod yn bresennol i hwn, ac eto, roedd angen dweud offeren breifat. Yn y gwasanaethau beunyddiol roedd 42 o gyfnodau pan yr oedd yn ofynnol i'r mynaich sefyll.

Fel consesiwn i'r mynaich a'r canoniaid hŷn a methedig, rhoddwyd baglau iddynt i gynnal eu hunain i fyny, ac ymhen amser daeth y *misericord* (o'r Lladin am dosturi), i fodolaeth. Seddau bychain oedd y rhain ac roedd modd eu codi i fyny; rhoddai gyfle hwylus i'r mynach neu'r canon i eistedd yn ddiffwdan ar adegau yn y côr. Amcangyfrifir fod oddeutu 3500 o'r misericordiau hyn yn dal i fodoli yng Nghymru a Lloegr. Mae oddeutu 132 wedi eu nodi yng Nghymru, ond ceir rhai modern yn eu plith.

Gan nad yw'r seddau hyn yn fawr iawn, ychydig o gyfle oedd i'r crefftwyr ddangos unrhyw addurn; serch hynny, buont yn ddyfeisgar a chryno iawn.

Er na wyddom enwau'r crefftwyr hyn, ac er fod maint y misericordiau'n llyffethair arnynt i raddau helaeth, mae astudiaeth ohonynt yn ddiddorol iawn. Yn y seddau hyn, sydd wedi eu hanner cuddio, gwelir waith cywrain iawn ar adegau, sy'n dangos unwaith eto i ni heddiw gymaint y golled a gawsom trwy'r chwalu didrugaredd a fu ar waith coed cerfiedig gan y dryllwyr delwau. Os mai prin yw gwaith y prif grefftwyr yn y maes arbennig yma, mae'r mwyafrif o'r misericordiau'n adlewyrchu meddylfryd y dynion hynny fu'n gyfrifol amdanynt, ac yn rhoi gwybodaeth i ni am grefftwyr yr Oesoedd Canol sydd ddim i'w gael yn unman arall. Mae'r cerfiadau hyn nid yn unig yn dangos fel yr oedd y crefftwyr yn portreadu'r anifeiliaid a'r adar, ond yn bwysicach o lawer, maent yn dangos bywyd beunyddiol y gymdeithas yr oeddynt yn byw ynddi. Dywed llyfrau hanes wrthym am bobl bwysig ac ariannog pob cyfnod, ond yn y misericordiau dysgwn am hanes y bobl gyffredin wrth eu gwaith bob dydd yn y caeau a'r coedwigoedd. Fe'i gwelwn yn aredig y tir, yn hau ac yn medi, yn lladd anifeiliaid, cneifio'u defaid a godro'u gwartheg, a gwelwn hwy'n mwynhau yr ychydig oriau hamdden oedd ganddynt yn yfed yn y dafarn ac yn dawnsio. Mae diffyg gwybodaeth o hanesion Beiblaidd ac am y Seintiau yn y cerfiadau'n rhoi cipolwg i ni o Gristnogaeth y dosbarth canol. Daw eu barn a'u rhagfarn am gerddoriaeth, celf a phregethu'r Brodyr i'r amlwg yn y misericordiau, ac nid oedd unrhyw ffurf o anfoesoldeb yn osgoi eu llach. Mae'r cerfiadau hyn yn rhoi darlun realistig i ni o fywyd y cyfnod nad oes llawer o sôn amdano yn ein llyfrau hanes.

Fe welir dylanwad y noddwyr clerigol ar y gwaith cynnar, ond wrth i'r blynyddoedd fynd yn eu blaenau mae'r dylanwad hwnnw'n lleihau a rhyddid y crefftwyr i ddewis eu gwrthrychau eu hunain yn dod yn amlwg. Mae enghreifftiau diddorol i'w gweld mewn llawer o'r gwaith hwnnw, ac maent yn anodd iawn i'w hesbonio heddiw.

Daw nifer o'r testunau a welir ar y misericordiau o'r Bwystoriau canoloesol a oedd yn disgrifio a dangos anifeiliaid a bwystfilod dilys a dychmygol. Roedd meddyginiaeth a gallu ysbrydol wedi eu priodoli i'r rhain ynghyd ag arwyddocâd alegorïaidd, ac roedd y bobl yn cael eu hannog i efelychu rhai ac i anwybyddu eraill, felly roeddynt yn destunau addas i'w cerfio ar y misericordiau.

Mewn cyfnod pan oedd gofal arbennig yn cael ei roi i grefftwaith, nid rhyfedd fod y misericordiau hefyd bron wedi cael yr un gofal. Roedd unrhyw ddatblygiad yn eu harddull yn gyfyngedig oherwydd eu pwrpas. Nid oedd angen i'r cerfiadau ddilyn unrhyw drefn arbennig nac i addysgu'r gynulleidfa anllythrennog. Mae'r prif addurn sydd arnynt i'w ddarganfod ar ganol y sedd ac yna fe geir ddau gerflun arall llai o bobtu. Golygai hyn fod yn rhaid i'r crefftwyr feddwl o'r newydd bob tro er mwyn ceisio gwneud undod o'r pwnc – ond nid oeddynt yn llwyddo bob amser. Un ffordd i oresgyn y broblem oedd cerfio tusw o ddail o bobtu'r prif gerfiad, ond yn y Gadeirlan yn Ely, er enghraifft, mae'r crefftwr wedi dod dros y broblem wrth greu undod yn ei bwnc trwy ddangos Arch Noa fel y prif addurn; ar yr ochr chwith gwelir cigfran yn bwyta sgerbwd ac ar y dde mae colomen gyda dail olewydd yn ei phig.

Gwelir pob math o wrthrychau arnynt megis bwystfilod rheibus, pennau grotésg ynghyd â helyntion teuluol. Gwelir hefyd enghreifftiau o chwaraeon, offerynnau cerdd, coginio a hyd yn oed symbolau rhywiol. Ymddengys nad oedd unrhyw bwnc yn waharddedig, ac roedd ambell enghraifft yn bornograffi llwyr. Yr oedd i'r anifeiliaid ac ati arwyddocâd arbennig yn y cyfnod, fel y gwelir o'r enghreifftiau canlynol:

Amphisbaena

Sarff neu ddraig fytholegol yw hon a chanddi ddau ben – yr ail i'w weld ar flaen ei chynffon. Am fod ganddi ddau ben, roedd yn medru symud i'r naill gyfeiriad neu'r llall, a daeth yn symbol o ŵr yn byw dau fywyd. Mae'n cynrychioli dichellgarwch, serch hyn fe'i gwelir ar sgriniau eglwysi Llananno a Llanwnnog ac ar amryw o fisericordiau.

Llwynog

Ysgrifennodd Alexander Pope am y llwynog yn y geiriau hyn:

The fox obscene to gaping tombs retires
And wolves with howling fill the sacred quires.

Mae llun y llwynog yn weddol gyffredin ar y misericordiau, ac mae llawer o chwedlau wedi eu gweu o'i gwmpas. Weithiau bydd wedi'i wisgo mewn dillad mynach ac yn pregethu i gynulleidfa o adar.

Yn Nhyddewi gwelir y llwynog wedi ei wisgo mewn dillad merch a chadach am ei ben; yn ei law dde mae'n dal teisen fechan a phlât gwag yn ei law chwith. Fe'i ceir hefyd yn prynu ffisig oddi wrth epa, ac yn eglwys Gresffordd mae mewn pulpud yn pregethu i geiliog a naw o ieir.

Mae'n debyg fod hyn yn ymddangos yn anghymwys fel delwedd eglwysig, ond gan fod yr offeiriaid yn aml yn cyhuddo'r Brodyr Cardod o fod yn ddiog a llygredig, mae'n debyg eu bod yn croesawu dychan fel hyn ar chwant a rhagrith y Brodyr. Roeddynt hefyd yn barod iawn i dderbyn delweddau a fyddai'n llawer mwy cignoeth.

Pelican

Cerfiad diddorol a welir yn aml yw'r Pelican yn ei Dduwioldeb. Fel rheol fe'i dangosir yn sefyll ar ymyl ei nyth sydd â phedwar cyw ynddo. Yn yr Oesoedd Canol y grêd oedd fod y Pelican yn bwydo'i chwyion gyda'i gwaed ei hun a oedd yn llifo o'i bron. Roedd hyn felly yn cael ei ystyried yn addas gan y crefftwyr fel symbol o Grist yn gwaedu ar y Groes ac yn diwallu ei braidd â'i waed ei hun yn y Cymun Sanctaidd. Ceir esiampl ohono ar ffenestr Jesse yn eglwys Llanrhaeadr yn ogystal ag ar sawl misericord.

Y Dylluan

Yn fwy nag aml nid yw amryw o'r anifeiliaid a'r adar sy'n ymddangos ar y misericordiau'n cael eu portreadu'n gywir – yn wahanol i'r dylluan, sydd fel arfer yn gywir. Gan mai aderyn y nos ydyw'r dylluan, sydd ddim yn gweld yn dda iawn yn ystod y dydd, fe'i dangosir weithiau â nifer o adar yn ymosod arni. Roedd yr aderyn yn cael ei ystyried yn un anlwcus gan y Rhufeiniaid, ond yn cael ei barchu am ei ddoethineb gan y Groegiaid.

Yn ystod yr Oesoedd Canol nid doethineb a briodolwyd i'r dylluan, ond ffolineb – a hynny am fod yn well ganddi'r tywyllwch na'r goeluni, a daeth yn symbol o'r Iddewon am iddynt hwy wrthod y goleuni yng Nghrist.

Eliffant

Anaml y gwelir yr eliffant yn cael ei brotreadu'n gywir. Fe'i gwelir weithiau gyda thraed ceffyl, a thro arall gyda chlustiau tebyg i rai ci! Fe'i defnyddir weithiau i gynrychioli Adda ac Efa am ei fod, yn ôl y Bwystoriau canoloesol, yn rhannu rhyw ddiniweidrwydd cnawdol â hwy ac ond yn cymharu unwaith yn ei fywyd. Fe'i gwelir yn aml pan mae herodraeth yn cael ei ddefnyddio ar y misericordiau, ac fe'i gwelir gyda chastell ar ei gefn yn dynodi cryfder a chraffter.

Eryr

Ceir sawl darllenfwrdd yn yr eglwysi ar ffurf eryr. Mae eryr y môr yn medru disgyn i'r dŵr a dal pysgodyn yn ei grafanc, ac i'r Cristion cynnar roedd yr eryr yn cynrychioli Crist, y môr yn cynrychioli'r byd, a'r pysgodyn yn cynrychioli'r Cristion yr oedd Crist yn ei achub o'r byd. Gellir gweld crafanc eryr ynghyd â physgodyn yn sgrîn eglwys Conwy. Eryr hefyd oedd symbol Sant Ioan am ei fod yn gallu treiddio mwy na neb i ddirgelion y nefoedd.

Gŵr Gwyrdd

Roedd y Gŵr Gwyrdd yn un o'r delweddau paganaidd mwyaf grymus, ac fe'i gwelir mewn amryw o ffurfiau yn yr eglwysi canoloesol megis ar y sgrîn, fel misericord ac hefyd fel boglwm ar y nenfwd, ac roedd yn boblogaidd yn Ewrop fel ag ym Mhrydain. Mae'r pen i'w weld gyda dail yn dod allan o'i enau, ei glustiau ac o'i ffroenau. Er mai delwedd baganaidd ydoedd ar y cychwyn, cawsai ei adnabod yn ddiweddarach fel delwedd Gristnogol a ddefnyddid i gynrychioli'r Pasg a'r Atgyfodiad.

Llew

Yn y Canol Oesoedd roedd y llew yn ymgorfforiad o gryfder ac urddas, ac yn ôl y Bwystoriau roedd y cenawon yn cael eu geni'n farw ac yn aros felly am dri diwrnod hyd nes i'r llew ddod ac anadlu bywyd newydd i mewn iddynt. Oherwydd hyn, mae'r anifail yn cael ei gysylltu â'r Crist Atgyfodedig ac yn symbol addas iawn i'w ddefnyddio yn yr eglwysi.

Griffon

Mae'r Griffon yn cynnwys nodweddion brenin yr anifeiliaid a brenin yr adar. Mae ganddo gorff a chlustiau llew a phen, esgyll a chrafanc eryr. Fe'i ceir ar nifer o sgriniau yng Nghymru.

Ffenics

Credai'r Eifftwyr fod y ffenics yn byw am bum can mlynedd ac yna'n atgyfodi o'r fflamau ymhen tridiau ar ôl iddo farw. Roedd yn naturiol iawn felly i'r Cristion ei dderbyn fel symbol o atgyfodiad ac anfarwoldeb.

* * *

Tyddewi

O ystyried ei leoliad, nid yw'n syndod fod y môr wedi cael dylanwad ar beth o'r gwaith coed a welir yn Nhyddewi, ac mae dau o'r misericordiau'n adlewyrchu hyn. Ar un gwelir cwch yn cael ei hadeiladu gydag un gŵr yn calcio'i hochr a gŵr arall yn yfed o ddisgl, a thu ôl iddo gwelir rhai o offer ei grefft. Mae misericord arall yn dangos pedwar gŵr yn rhwyfo cwch fechan ac un ohonynt yn sâl môr. Mae hon yn cynrychioli'r traddodiad fod Gofan wedi ei anfon i Rufain i ymofyn y ffurf briodol o'r Offeren. Ar y ffordd yno bu bron iddo farw o salwch y môr, a phan ddaeth ato'i hun ceryddodd ei gyd-deithwyr am fwyta gormod tra oeddynt mewn gwirionedd i fod i ymprydio. Mae'r chwedl hon yn cadw'r cysylltiad oedd yn bod rhwng Cymru a'r Cyfandir ar ôl ymadawiad y Rhufeiniaid hyd ddydiau Sant Awgwstin.

Dyddia misericordiau Tyddewi rhwng 1493 a 1509, a gwelir wyth ar hugain ohonynt yno, ond mae saith o'r rheiny'n rhai modern.

Wrth edrych yn fanwl ar yr holl fisericordiau sydd ar gael, syndod yw sylwi nad yw delweddau o'r Beibl mor niferus ag y byddai rhywun yn disgwyl.

Mae'n amlwg nad oedd y rhyddid artistig a ddangosir yn yr enghreifftiau hyn yn poeni llawer ar grefyddwyr yr Oesoedd Canol, ond roedd rhai enghreifftiau cignoeth yn ormod i grefyddwyr oes Fictoria. Yn ystod y bedwaredd ganrif ar bymtheg bu'n rhaid iddynt gael gwared â phump o'r misericordiau o'r Gadeirlan yng Nghaer a'u dinistrio am eu bod yn rhy anweddus i grefyddwyr sidêt y cyfnod.

Mae astudiaeth o'r misericordiau yn ein harwain i faes ehangach – hynny yw, mae'n dangos mor hollgynhwysol yr oedd celfyddyd eglwysig yr Oesoedd Canol. Nid oedd yr adeiladau'n hollol agored i bawb; serch hynny, roedd yr Eglwys yn adlewyrchu'r hyn oll a ddigwyddai y tu allan i'w muriau. Maent yn dangos nad oedd yr awdurdodau eglwysig na chwaith y crefftwyr a gyflogid ganddynt yn sentimental nac yn gysetlyd. Roedd yr Eglwys gynnar yn ddigon cryf i ganiatáu caricaturio'i chlerigwyr, ond prin iawn yw'r enghreifftiau lle mae'i hathrawiaethau'n cael eu gwawdio.

Ond beth tybed oedd y tu ôl i'r gelfyddyd a welir yn y misericordiau hyn? Cyn y Diwygiad Protestannaidd fe ddywedir mai pwrpas celf oedd dychanu a gwawdio. Daeth y cerfiadau hyn yn arfau i Gristion eu defnyddio yn erbyn Cristion. Roedd y mynaich yn casáu'r Brodyr ac yn dirmygu offeiriaid y plwyf, a hwythau yn eu tro'n casáu'r mynaich am iddynt hwy hawlio ffïoedd priodasau a ffïoedd cyffesol. Ond mewn gwirionedd, dychanu pregethu yr oedd y crefftwyr, ac nid crefydd fel y cyfryw. Roedd yr esgobion wedi bod yn pwyso'n drwm ar yr offeiriaid i bregethu i'w cynulleidfa, ac roedd ambell esgob wedi mynd mor bell â pharatoi pregethau iddynt eu traddodi, ond ofer fu eu hymdrechion. O'r drydedd ganrif ar ddeg ymlaen, y Brodyr oedd yn diwallu'r angen hwn.

Er mai crwydro o le i le fyddai'r Brodyr, yr oedd ganddynt hwythau i gyd dai ledled Cymru, er enghraifft yn Aberhonddu, Rhuddlan, Bangor a Dinbych. Yn Llanfaes, sir Fôn, rhoddwyd tŷ i'r Brodyr Llwydion gan Llywelyn Fawr. Fe gymrodd y Brodyr Llwydion ran amlwg yn hanes Owain Glyndŵr; pan ymosododd Owain ar Gaerdydd, tŷ'r Brodyr oedd bron yr unig le a achubwyd ganddo. Ond ar y llaw arall, pan ddaeth Hari IV i Gymru fe ddinistriodd eu priordy yn Llanfaes am iddynt ochri gydag Owain Glyndŵr.

Gosododd y plwyfi groesau yn y mynwentydd ac ar ochr y ffordd, ac o'r fan honno y byddai'r plwyfolion yn clywed y Brodyr yn pregethu. Gellir gweld amryw o'r croesau hyn drwy Gymru hyd heddiw. Ym mynwent eglwys Llaneilian, sir Fôn gwelir rhan yn unig o Groes Eilian, fel y mae'n cael ei alw. Ceir tair gris yn sylfaen iddi.

Daeth y Brodyr hwythau yn eu tro y fwy amhoblogaidd fyth am i'w safonau ddisgyn ac am iddynt fynd yn rhy ariangar.

Priordy Llanfaes ac Eglwys Biwmares

Yn gynnar yn ystod y drydedd ganrif ar ddeg daeth Urdd Sant Ffransis i Brydain, ac erbyn y Diwygiad Protestannaidd roedd yna oddeutu hanner cant o'u tai wedi eu sefydlu drwy'r wlad.

Nifer fychan o'r Brodyr fyddai'n aros ym mhob un o'r tai, ac roeddynt wedi'u rhwymo i dlodi yn ôl delfryd Sant Ffransis, ac o'u cymharu ag adeiladau'r Sistersiaid a'r Benedictiaid, tlawd hefyd oedd eu tai. Yr oedd eu heglwysi, fodd bynnag yn fan claddu boblogaidd i'r bonheddig a'r cyfoethog. Roedd rhai manteision pwysig i'r rheiny oedd wedi eu claddu yng nghwfl y Brodyr Llwydion, megis maddeuant o un rhan o bedwar o'u pechodau. Byddai rhai marchogion a lleygwyr cyfoethog yn cymryd abid y Brodyr yn eu dyddiau olaf ac yn cael eu derbyn i'r Urdd. Daeth yr arfer yma'n gyff gwawd cyn ac ar ôl y Diwygiad Protestannaidd, a cheir enghreifftiau o'r gwawdio yma ar rai misericordiau. Dywedodd Milton:

And they who, to be sure of Paradise,
Dying put on the weeds of Dominic,
Or in Franciscan think to pass disguised.

Roedd Priordy Llanfaes heb fod ymhell o Biwmares yn sir Fôn. Sefydlwyd hwn gan Llywelyn ap Iorwerth rhwng 1230 a 1240, ac yma y claddwyd y Dywysoges Siwan, merch y Brenin John. Yn 1414 rhoddodd Harri V Siarter i'r Priordy ac ynddo mae'n sôn am y dinistr a fu yng ngwrthryfel Owain Glyndŵr, a'r ffaith nad oedd gwasanaethau'n cael eu cynnal yno. Mae'r Siarter yn annog i wasanaethau gael eu hailgynnal yn y fan. Roedd wyth o'r Brodyr i fod i fyw yno:

. . . and there to celebrate divine service, and for ever pray to God for our good estate and that of our most dear bretheren and others of our blood and descent and for our souls when we shall have departed this life and likewise for the souls of our father and mother and of our ancestors, and of those who in the aforesaid house, are buried, and of all the faithful deceased.

Roedd dau o'r wyth Brawd yn Gymry. Mae'r Siarter wedi ei ddyddio 3 Gorffennaf, 1414.

Bu'r Priordy mewn bodolaeth hyd ei ddiddymu gan Harri VIII. Aethpwyd â darnau o'r ffenestri lliw i eglwys Biwmares, ac mae lle i gredu fod seddau'r gangell wedi eu symud yno hefyd.

Eglwys sy'n gysylltiedig â'r castell yw eglwys Biwmares, ac felly mae wedi'i hadeiladu'n seiliedig ar gynlluniau Saesnig. Ceir nifer o adroddiadau cynnar am yr eglwys yn anghytuno â'r nifer o seddau oedd yn y gangell. Yn 1810 roedd Syr Richard Fenton yn dweud fod yno wyth sedd gyda cherfiadau oddi tanynt; roedd Syr Stephen Glynn yn dweud fod yno ddeuddeg sedd, a'r rheiny wedi eu coroni â chanopïau. Erbyn heddiw ugain sedd sydd yno, ond dim ond deuddeg ohonynt sy'n wreiddiol, ac nid oes sôn am y canopïau. Yn sicr, byddai yno sgrîn a chroglofft, ond maent wedi eu chwalu ers blynyddoedd. eglwys Llaneilian ger Amlwch yw'r unig eglwys yn sir Fôn lle gellir gweld sgrîn heddiw.

Mae rhan ganol pob un o misericordiau Biwmares yn dangos hanner angel yn dal tarian yn ei dwylaw ond nid oes unrhyw beth wedi ei gerfio ar y tarianau. O bobtu'r angel gwelir cerfiadau gwahanol, er enghraifft:

(i) Pen brenin a phen brenhines.
(ii) Pen gŵr gyda gwallt hir a barf fforchog a phen gŵr barfog â chwfl am ei ben.
(iii) Esgob gyda meitr ar ei ben a Brawd â'i ben wedi ei eillio.

Symbolau yn yr Eglwys

Roedd yr hen eglwysi ynghyd â'r Eglwysi Cadeiriol wedi eu hadeiladu i boblogaeth dduwiol a defosiynol ond anllythrennog. Defnyddiwyd cerfluniau, symbolau, gwydrau lliw a lluniau i wneud yr eglwysi'n boblogaidd i'r gynulleidfa ac i adrodd rhywfaint o hanes yr Eglwys. Roedd artistiaid a chrefftwyr wedi rhoi eu bywydau i'r gwaith, a chlerigwyr ac uchelwyr am y gorau i addurno'r adeiladau a chreu delweddau hardd. Er gwaetha'r holl ddifrod a ddigwyddodd o ganlyniad i ddiwygwyr gorfrwdfrydig, mae llawer o'r harddwch wedi aros, ac mae gwybodaeth am bwysigrwydd y symbolau hyn yn cyfoethogi unrhyw ymweliad ag eglwysi hynafol.

Monogram

Monogram yw dwy neu dair o lythrennau wedi eu plethu. Un o symbolau hynaf y Cristnogion cynnar oedd y LABARON a gynrychiolai'r ddwy lythyren gyntaf o'r gair Groegaidd am Grist. Monogram cyfarwydd iawn yw IHS, y tair llythyren gyntaf o'r gair Groegaidd am Iesu. Llythrennau eraill a ddefnyddir yn aml, ond nid fel monogram yw INRI, sef y llythrennau cyntaf o *Iesus Nazarenus Rex Iudaeorum* – Iesu o Nazareth Brenin yr Iddewon. Gwelir hefyd y llythrennau cyntaf a'r olaf o'r wyddor Groegaidd ALPHA ac OMEGA, yn mynegi mai Crist yw'r cychwyn a'r diwedd.

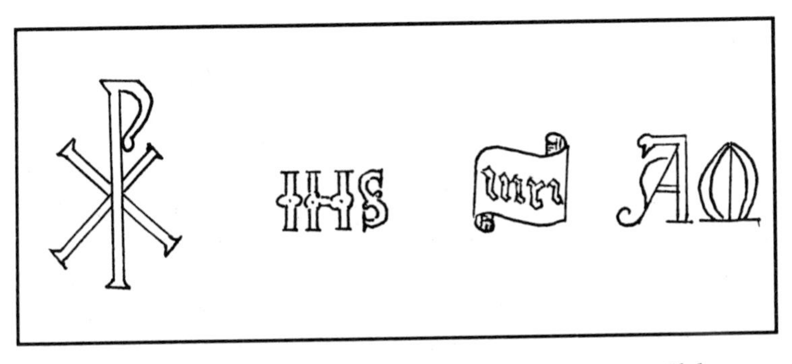

Labaron *I.H.S.* *I.N.R.I.* *Alpha ac Omega*

Rhifau

Roedd rhifau hefyd yn bwysig yn ystod yr Oesoedd Canol ac roedd iddynt eu harwyddocâd cyfriniol. Mae ffenestr y Drindod yn beth cyffredin iawn. Roedd gan yr Iddewon eu Seren Dafydd neu Seren y Creawdwr fel y gelwid hi weithiau gyda'i chwe phwynt yn dynodi'r chwe diwrnod a gymrodd Duw i greu'r byd. Gwelir hefyd y Tricwetra lle mae tair arc o'r un faint eto'n cynrychioli'r Drindod; mae hwn i'w weld yn aml ar groesau Celtaidd. Ceir nifer o fedyddfeini'n wythonglog; mae'r rhif wyth yn sefyll am yr atgyfodiad i fywyd newydd.

Ffenestr y Drindod *Seren Dafydd/ Seren y Creawdwr* *Tricwetra* *Bedyddfaen wythonglog*

Anifeiliaid a Phlanhigion

Yn ystod yr Oesoedd Canol roedd i bopeth ei ystyr grefyddol neu ysbrydol. Roedd y Ffenics, yr aderyn mytholegol, yn codi o'r fflamau yn cynrychioli'r Atgyfodiad, a'r Pelican yn bwydo'i chywion â'i gwaed ei hun yn symbolaidd o'r aberth ar y Groes a'r Cymun Sanctaidd. Y Lili oedd y symbol am Burdeb gan fod y blodau gwyn yn cael eu cysylltu â'r Forwyn Fair. Yn achlysurol, gwelir Crist wedi ei groeshoelio nid ar Groes ond ar y Lili. Un o'r symbolau a welir amlaf wedi ei gerfio ar y sgriniau yw'r winwydden, sydd wedi ei selio ar eiriau Crist: 'Myfi yw'r wir winwydden'. Un o arwyddion cynharaf y Cristnogion oedd y pysgodyn; roedd llythrennau cyntaf y geiriau Groegaidd am 'Iesu Grist, Mab Duw, Gwaredwr' yn sillafu'r gair Groegaidd am bysgodyn.

Symbolau'r Dioddefaint

Roedd defnyddio tarian fel addurn yn boblogaidd iawn yn y Canol Oesoedd, ac fe welir symbolau'r Dioddefaint arnynt yn aml. Gwelir y symbolau hyn hefyd ar ddrysau, penseddau, sgriniau ac ar goed y nenfwd. Mae rhai o'r symbolau hyn i'w gweld ar sgrîn eglwys Llanrwst, a'r rhai a welir fwyaf cyffredin yw: (i) y Groes ynghyd â lliain a ddefnyddiwyd i dynnu Crist i lawr ar ôl ei groeshoeliad; (ii) y pennawd INRI; (iii) y Goron ddrain a'r hoelion; (iv) y lamp a gariwyd yng ngardd Gethsemane pan ddaliwyd Crist; (v) y ceiliog a ganodd ar ôl i Pedr ei wadu a (vi) y morthwyl a'r efail.

Symbolaeth yng nghynllun yr eglwysi

Yn draddodiadol, mae'r gynulleidfa mewn eglwys yn wynebu'r dwyrain ac felly'n edrych tua'r wawr. Mae corff yr eglwys (*nave* o'r Lladin *navis* – llong) yn symbol o'r daith i'r Nefoedd – y daith o godiad haul i'w fachlud. Roedd drws ar yr ochr ogleddol yn cael ei gysylltu â'r diafol. Mae'r fedyddfaen wrth ddrws yr eglwys yn dangos mai trwy fedydd y mae mynediad i'r eglwys. I gyrraedd yr allor roedd yn rhaid mynd o dan y Groes a fyddai ar y sgrîn, ac felly dim ond trwy'r Groes yr oedd modd cael mynediad i'r Nefoedd.

Y Seintiau a'u symbolau

Roedd i'r Seintiau hefyd eu symbolau, a gwelir rhai o'r rhain yn aml wedi eu cerfio ar y sgriniau e.e. Pedr – allweddau; Paul – cleddyf; Iago – cragen fylchog, ac fe ddefnyddir cragen ar gyfer y bedydd mewn rhai eglwysi hyd heddiw.

Eglwysi Santes Fair a Dewi Sant, y Drenewydd

Dros y canrifoedd mae eglwysi sir Drefaldwyn wedi bod yn gyfoethog o waith coed cerfiedig. Amcangyfrifir fod yn agos i dri chant o sgriniau wedi eu cofnodi rhyw dro neu gilydd yng Nghymru, ac roedd deg ar hugain ohonynt i'w cael yn sir Drefaldwyn. O ystyried y chwalu didrugaredd a gymrodd le ar ôl 1540 rydym yn ffodus iawn fod cynifer o'r trysorau hyn ar ôl.

Yn 1909 cyhoeddwyd Adroddiad y Comisiwn Brenhinol ar Henebion sir Drefaldwyn ac yn y fan honno dywedir:

> *The parish churches of the county have, without a single exception, been more or less restored, some several times, within the last half-century. In too many cases the restoration consisted of the total demolition of the earlier edifice . . . and the erection of a new church, sometimes on a different site as at Llandysil. In the greater number of cases the new building is placed upon the old foundations, but the architectural features have given way to others that were deemed of better taste. Almost every church must have possessed a fine oak screen of which that of Llanwnnog is the best surviving example.*

Wrth i'r gwaith o chwalu ac ailadeiladu fynd yn ei flaen roedd cynnwys yr eglwysi hefyd yn cael eu chwalu, er enghraifft, yn 1836 chwalwyd sgrîn eglwys Llangurig, ac roedd rhannau ohoni'n cael eu cynnig i unrhyw un oedd â diddordeb ynddi. Mae rhan o'r sgrîn hon i'w gweld hyd heddiw mewn plasty sydd heb fod ymhell o'r Trallwng.

Yn 1856 trosglwyddwyd sgrîn eglwys y Santes Fair, y Drenewydd i'r eglwys newydd – eglwys Dewi Sant – ond mae rhannau lawer ohoni wedi eu colli. Roedd sgrîn y Drenewydd yn cael ei hystyried yr orau yng Nghymru, ac mae'r rhannau sydd ar ôl, ynghyd â nodiadau a darluniau manwl a chywir y Parchedig John Parker yn dyddio rhwng y blynyddoedd 1829 a 1836 yn rhoi rhyw syniad i ni o'r golled fawr yma wrth ei chyferbynnu â sgriniau eglwysi Llananno a Llanwnnog.

Mae hanes sgrîn y Drenewydd yn enghraifft berffaith o'r hyn sydd wedi digwydd ledled Cymru. Wrth astudio'r hanes, yr hyn sy'n rhyfeddol yw fod cymaint o'r sgrîn wedi ei hachub i ni heddiw.

Roedd eglwys y Santes Fair, hen eglwys y Drenewydd, yn dadfeilio'n gyflym erbyn dechrau'r bedwaredd ganrif ar bymtheg. Ychydig lathenni i'r gogledd o'r eglwys rhed afon Hafren; byddai hon yn ei thro yn gorlifo, a chan fod llawr yr eglwys rhyw droedfedd yn is na'r fynwent o'i chwmpas llifai'r dŵr i mewn i'r adeilad. Byddai'r rheithordy gerllaw hefyd dan ddŵr.

Erbyn 1811 roedd yr eglwys mewn cyflwr mor ddifrifol fel y penderfynwyd adeiladu eglwys a rheithordy newydd, ac erbyn 1813 roedd y rheithordy'n barod. Serch hynny, aeth dros ddeng mlynedd ar hugain heibio cyn i'r gwaith o adeiladu'r eglwys newydd ddechrau, a gwaethygu wnaeth cyflwr yr hen eglwys o flwyddyn i flwyddyn.

Y rheswm am yr oedi oedd gwrthwynebiad gan y Parchedig G.A. Evors o Newtown Hall. Er nad ef oedd offeiriad y Drenewydd, roedd ganddo hawliau arbennig yn yr hen eglwys ac roedd yn awyddus iawn i gadw'r hawliau hynny. Yr oedd ganddo hawl i wyth sedd (gyda lle i wyth person ym mhob sedd) yn ogystal â galeri i 40 o bersonau ychwanegol! Bu'n rhaid setlo'r mater hwn yn y llys, ac erbyn 1843 gwnaed dyfarniad nad oedd y Parchedig G.A. Evors i gael cadw'r hawliau hyn, ac roedd y ffordd yn glir yn awr i ddechrau adeiladu'r eglwys newydd. Roedd y gwaith adeiladu wedi ei orffen erbyn 1847.

Serch hynny roedd un broblem fawr yn aros. Beth oedd am ddigwydd i'r hen sgrîn hynafol? Roedd rhai adroddiadau yn y wasg yn cynhyrfu rhai eglwyswyr a haneswyr, oherwydd y bwriad oedd i'w gwerthu.

Roedd i'r hen eglwys dŵr cadarn ar yr ochr orllewinol a chlochdy coed ar ei ben – cynllun sy'n nodweddiadol o amryw o eglwysi sydd i'w cael ar y gororau. Roedd iddi gangell a dwy eil, ac roedd corff yr eglwys wedi ei wyngalchu; roedd wyth bwa bwynt o goed yn gwahanu corff yr eglwys oddi wrth yr eil. Yn y gorffennol arferai'r wardeniaid guddio'r to trawst goed ac eithrio yn y gangell ddeheuol, ac yn y fan honno roedd tair angel o gryn faint wedi eu cerfio.

Prif ogoniant yr eglwys oedd y sgrîn hynafol. Yn 1810 disgrifiodd y teithiwr Richard Fenton oedd ar daith drwy Gymru hi fel: '*The Rood-loft as to carving, gilding and painting is perhaps the most perfect thing of its kind in the kingdom, said to have been brought from Abbey Cwm-hir. There are no two compartments alike*'.

Roedd Fenton fel llawer o rai eraill a berthynai i'r cyfnod yn cysylltu'r sgrîn hon ag Abaty Cwm-hir, ond dywed y Canon Maurice H. Ridgeway, arbenigwr ar sgriniau Cymru, mai o wneuthuriad blwyfol yw hon, a'i bod yn dyddio o ddiwedd y bymthegfed ganrif neu ddechrau'r unfed ganrif ar bymtheg, ac nid o'r bedwaredd ganrif ar ddeg.

Mae'r adroddiadau mwyaf manwl am y sgrîn hon i'w cael yn llawysgrifau'r Parchedig John Parker, a oedd yn rheithor Llanmerewig, sydd heb fod ymhell o'r Drenewydd o 1827-1844. Gwnaeth yr astudiaeth fanwl rhwng 1829 ac 1832 gan roi mesurau cywir o bob agwedd o'r sgrîn, yn ogystal â sawl darlun o wahanol rannau ohoni. Rhwng y blynyddoedd y bu ef yn ei hastudio gwelodd ddirywiad sylweddol yn ei chyflwr, ac er na fu iddo wneud darlun o'r sgrîn yn gyflawn, mae ei ddisgrifiadau a'i luniau cywrain yn ein galluogi ni heddiw i edmygu gwaith y crefftwyr cynnar ac i sylweddoli gymaint ein colled am fod nifer fawr o'r trysorau hyn wedi eu chwalu.

Ar ymweliad cyntaf Parker yn 1829 roedd cyflwr y sgrîn mor ddrwg fel nad oedd yn medru dychmygu sut yr edrychai'n wreiddiol – roedd hyn ar ôl ymweliad Richard Fenton yn 1810 a oedd yn gwrth-ddweud hyn, gan honni bod ei chyflwr bron yn berffaith. Mesurodd y sgrîn a darganfu ei bod yn ddwy droedfedd ar hugain o led ac yn ymestyn ar draws y ddwy eil. Mewn un llawysgrif fe ddywed:

> *In other chancel screens we have specimens of rich carving and the practice of ancient carpentry that may be discovered in all its interesting details, but here in addition to all this, we have a specimen of ancient colouring, by which the rules may be discovered for this rare branch of Gothic art. The skilful contrasting of blue and red, of purple and gold, upon a dark brown ground are here displayed. The methods of preserving the spirit and effect of carving, when gilt and coloured, are to be observed here, and the general effect which this colouring produced was, I think, dreamy, shadowy brightness combined with most elaborate workmanship.*

Mae'n amlwg fod llawer o ddifrod wedi ei wneud i'r sgrîn cyn i John Parker ymweld â hi yn 1829 ond mae ei adroddiadau yn ein galluogi i greu darlun gweddol gywir ohoni fel ag yr oedd yn wreiddiol. Nid yn unig oedd y sgrîn hon yn ogoniant i'r eglwys ond hefyd i Gymru gyfan. Nid oes amheuaeth nad hon oedd y fwyaf ysblennydd yn y wlad.

Er gwaethaf yr holl falurio oedd wedi digwydd yn barod, yn 1856 penderfynwyd ei thynnu i lawr unwaith yn rhagor a defnyddio rhannau ohoni yn yr eglwys newydd i amgylchynu tair wal o'r gangell. I wneud hyn bu'n rhaid torri deg troedfedd ohoni a gostwng ei huchder. Yn 1875 fe ailadeiladwyd y gangell a thynnwyd y sgrîn i lawr unwaith yn rhagor; bu'n gorwedd yn selerydd y rheithordy am rai blynyddoedd. Ar ôl ei hachub yn 1909, defnyddiwyd hi i banelu'r gangell newydd ond roedd rhan helaeth ohoni'n dal yn y rheithordy.

Yn 1938 defnyddiwyd yr hyn oedd yn weddill ohoni i amgylchynu Capel y Forwyn Fair ond roedd yn rhaid gwneud pyst newydd iddi am fod y rhai gwreiddiol wedi eu torri flynyddoedd ynghynt.

Er bod amryw o'r lliwiau gwreiddiol i'w gweld ar y sgrîn yn 1829, bu raid i'r awdurdodau eu llosgi i ffwrdd yn 1875 a'i gorchuddio â farnis, fel mai ond ychydig o'r lliwiau sydd i'w gweld yma ac acw arni heddiw.

Er ei bod yn fendith fod cymaint o'r sgrîn hon yn aros, y mae yna wersi lawer i'w dysgu ar gyfer y dyfodol wrth astudio ei hanes. Ni allwn fforddio colli trysorau fel hyn.

Sgriniau II

Llanengan, sir Gaernarfon

Saif eglwys Sant Engan, neu Sant Einion Frenin, rhyw filltir a hanner o Abersoch ym Mhenrhyn Llŷn. Yn y Canol Oesoedd roedd yr eglwys hon yn gyrchfan boblogaidd i bererinion oedd ar eu ffordd i Ynys Enlli. Roedd cysylltiadau agos rhwng yr eglwys ag Abaty Enlli. Dyddia'r rhan fwyaf o'r eglwys o ddiwedd y bymthegfed ganrif a dechrau'r unfed ganrif ar bymtheg. Ychwanegwyd y tŵr yn 1534 ac mae'r dyddiad i'w weld arno. Mae dwy eil i'r eglwys ac mae'r arcêd sy'n rhannu'r ddwy yn debyg iawn i'r hyn a welir yn eglwys Llangwnnadl a hefyd yn y Gadeirlan ym Mangor.

Ceir dwy sgrîn yn yr eglwys hon – y sgrîn ogleddol sy'n gwahanu corff yr eglwys o'r gangell, a'r sgrîn ddeheuol sydd mewn safle gyffelyb yr ochr arall i'r arcêd. Uwchben y sgrîn ddeheuol yn unig y mae croglofft. Mae'r un chwedl yn perthyn i'r sgriniau hyn hefyd – sef eu bod wedi dod o hen Abaty Enlli, ond gwneuthuriad a chynllun plwyfol sydd iddynt. Ymdebyga cynllun y sgrîn ddeheuol i'r un sydd yn eglwys Llanegryn yn sir Feirionnydd.

Mae'r ddwy sgrîn sydd yn yr eglwys hon yn hollol wahanol i'w gilydd; wrth edrych arnynt mae'n amlwg fod llawer o ddifrod wedi digwydd iddynt dros y blynyddoedd, ac mae'r ffaith nad yw'r patrymau sydd arnynt yn dilyn yn naturiol bob amser yn dangos fod darnau newydd wedi eu gosod ynddynt yn y blynyddoedd a fu, a bod darnau wedi eu hailosod yn anghywir.

Ar ochr orllewinol y grogloft ceir tair ar ddeg o baneli plaen heb unrhyw addurn o gwbl. Tybed a oedd lluniau o'r seintiau wedi eu paentio arnynt ar un adeg? Mae'r ochr ddwyreiniol yn llawer mwy addurniedig, gydag un ar ddeg o baneli o rwyllwaith cerfiedig. Arnynt hefyd ceir amryw o symbolau diddorol megis calon wedi ei thrywanu ac wedi ei hamgylchynu â choron ddrain a thraed a dwylaw wedi eu trywanu; neidr dorchog yn symbol o dragwyddoldeb a hefyd pren y bywyd. Mae'r ffrisiau sydd ar y ddwy sgrîn yn nodedig am yr amrywiaeth o gerfiadau a welir arnynt ynghyd â'r cywreinrwydd a'r sensitifrwydd sy'n perthyn i'r gwaith.

Ar ochr ddwyreiniol y sgrîn ogleddol gwelir darlun grotésg o ben dyn yn tynnu ei dafod hir allan – yn debyg iawn i'r Dyn Gwyrdd ond bod hwn ddim â dail yn dod o'i enau. Yn ogystal, mae cerfiadau bychain o ddyn yn dal llyfr â llun o wraig yn gweddïo arni.

Clynnog, sir Gaernarfon

Roedd eglwys Sant Beuno yng Nghlynnog, sir Gaernarfon yn gyrchfan boblogaidd i'r pererinion a oedd ar eu ffordd i Ynys Enlli. Sefydlwyd yr eglwys tua'r flwyddyn 630 gan Beuno, ac yno sefydlodd goleg eglwysig – y clas – a oedd yn sefydliad unigryw i'r eglwys Geltaidd.

Ar ochr ddeheuol yr eglwys mae Capel Sant Beuno ac fe'i cysylltir â thŵr yr eglwys gan fynedfa gyfyng a elwir 'Y Rheinws', oblegid defnyddiwyd y lle hwn ar un adeg i gadw drwgweithredwyr yr ardal, ac yng Nghapel Beuno yr oedd Eben Fardd yn cynnal ei ysgol.

Yn y llyfr *A Description of Caernarvonshire* (1809-1811) sonia Edmund Hyde Hall am:

> *The roof is of open woodwork but that of the chancel is ceiled with wood and painted in imitation of clouds, among which are seen the dove and various figures of angels. The execution is sufficiently mean.*

Heb fod ymhell o'r eglwys y mae Ffynnon Beuno, ac yn yr hen

amser credid fod ei dŵr yn medru gwella cleifion.

Dros y canrifoedd mae llawer o newidiadau wedi digwydd i'r eglwys fel y gellir disgwyl, ond mae'r sgrîn sy'n dyddio o ddechrau'r unfed ganrif ar bymtheg yn dal yn ei lle. Mae'r Canon Maurice Ridgway yn dadlau nad sgrîn yn y traddodiad Gymreig yw hon, ond un o gynllun Seisnig. Sgrîn syml ydyw, ac ni welir ynddi yr holl gerfiadau cywrain a oedd yn nodweddiadol o sgriniau Cymreig.

Pan ymwelodd John Leland a'r eglwys yn 1536-39, dywedodd fod yr adeilad wedi'i hatgyweirio ychydig flynyddoedd ynghynt. Yn 1505 cysegrwyd yr Esgob Skevington yn Esgob Bangor, ac er mai ond yn achlysurol iawn yr oedd yn ymweld â'i esgobaeth rhwng 1505 a'i farwolaeth yn 1533, fe ymgymerodd ag amryw o welliannau yn ei Gadeirlan.

Yn fuan ar ôl gorffen y gwaith ym Mangor gwnaed gwelliannau sylweddol i eglwys Clynnog, a chan fod y gwaith mor debyg i'r hyn a wnaethpwyd yn y Gadeirlan, mae lle i gredu mai'r un crefftwyr a fu'n gyfrifol am y gwaith ar y sgrîn hefyd. Yn anffodus, nid oes unrhyw waith coed o gyfnod Skevington wedi goroesi yn y Gadeirlan, ac felly ni ellir gwneud cymhariaeth.

Yn 1856 bu newidiadau sylweddol a dinistriol i'r eglwys ac i'r sgrîn, a gwelir hyn yn eglur yn y darlun o waith y Parchedig John Parker yn 1829.

Nant Peris, sir Gaernarfon

Mae gan eglwysi yn yr ardaloedd mynyddig megis Dolwyddelan a Phenmachno eu nodweddion eu hunain; felly hefyd rai o'r eglwysi a welir yn Llŷn. Maent i gyd yn gweddu'n berffaith i'w hardaloedd ac yn llechu'n isel rhag y gwyntoedd cryfion. Serch hynny, nid yw eglwys Nant Peris, sir Gaernarfon, yn cydymffurfio'n llwyr â'r cynlluniau traddodiadol – nid oes yna eil yng nghorff yr eglwys na drws ar yr ochr orllewinol, ond mae iddi ael groes neu transept a adeiladwyd yn ystod y bymthegfed ganrif. Ehangwyd y gangell yn ystod yr unfed ganrif ar bymtheg.

Yn wreiddiol, safai'r sgrîn i'r gorllewin o'r ael groes ond fe'i symudwyd oddi yno a chodwyd galeri arni. Oddeutu 1850 gwnaethpwyd mwy o newidiadau yn yr eglwys; tynnwyd y sgrîn i lawr ac fe'i hailgodwyd i'r dde o'r fynedfa, gan ganiatáu i festri fechan gael ei chreu y tu ôl iddi, a gwnaethpwyd i ffwrdd â'r galeri.

Sgrîn syml iawn yw hon, serch hynny, roedd yn gweddu i'r eglwys fel ag yr oedd yn yr unfed ganrif ar bymtheg. Mae'n nodweddiadol o'r sgriniau a godwyd yn yr eglwysi bach mewn ardaloedd fel Eryri.

Gan ei bod wedi ei symud o gwmpas lawer gwaith dros y blynyddoedd, y mae'n amlwg iddi gael ei niweidio'n arw. Mae iddi dri bae o amgylch drws canolog, ac mae i bob bae banel o rwyllwaith syml. Nid yw'r arbenigwyr yn medru cytuno ar faint yn union o'r rhwyllwaith hwn sy'n waith gwreiddiol, ond mae'n amlwg wrth edrych arnynt yn fanwl nad ydynt i gyd yn dyddio o'r un cyfnod. Yn 1829 roedd rhwyllwaith uwchben y fynedfa ond mae wedi diflannu erbyn hyn, ac mae peth o'r rhwyllwaith gwreiddiol hefyd wedi'i falurio. Plaen iawn yw'r paneli wensgod, ac nid oes arnynt unrhyw addurn o gwbl. Ar ben y cornis roedd lle i osod canhwyllau.

Mae'r gwydrau lliw sydd wedi eu gosod yn y sgrîn wrth greu'r festri yn hollol amherthnasol ac yn tynnu oddi wrth ei symylrwydd gwreiddiol. Yn wir, mae'n anodd gwerthfawrogi'r rhwyllwaith erbyn hyn.

Sonia tirlyfr yr eglwys sy'n dyddio o 1776 bod blwch yn y sgrîn i dderbyn arian i'r tlodion – Cyff Peris – ac mae hwn i'w weld yno hyd heddiw. Fel mewn llawer eglwys arall mae ffynnon yn gysylltiedig â hi, ac roedd yr arian a deflid iddi gan ymwelwyr yn cael ei ddefnyddio fel rhan o gyflog Clerc y plwyf. Defnyddir dŵr o'r ffynnon i fedyddio'r plant hyd heddiw.

Er mai syml yw sgrîn eglwys Nant Peris, mae iddi bwysigrwydd am ei bod yn cynrychioli'r math o sgrîn oedd i'w gweld mewn ardal fel hon.

Llaneilian, Amlwch, sir Fôn

Mae'r rhan fwyaf o eglwysi canoloesol cefn gwlad gogledd Cymru wedi eu hadeiladu ar gyfer y cymunedau fel ag yr oeddynt ar y pryd. Defnyddiau lleol a ddefnyddid ac adeiladwyr lleol oedd yn gyfrifol am eu hadeiladu, a dyma pam eu bod o ddiddordeb mawr i ni heddiw. Difaterwch y ddeunawfed ganrif fu'n gyfrifol am y gwaith mawr o atgyweirio ac ailadeiladu a oedd yn ofynnol, a thrwy hyn fe gollodd yr eglwysi hyn eu cymeriad cyntefig.

Yn anffodus, mae eglwysi sir Fôn wedi dioddef yn fwy bron nag unrhyw sir arall, ac erbyn y bedwaredd ganrif ar bymtheg roedd mwy na hanner yr eglwysi wedi cael eu hailadeiladu, eu chwalu neu eu gwella'n sylweddol. Yr hyn a welwn ni felly yw eglwysi sy'n estronol i'w cymdogaeth a'r tirwedd.

O ystyried yr holl ailadeiladu a oedd yn angenrheidiol, nid yw'n syndod fod llawer o'r gwaith coed canoloesol wedi ei golli, ac erbyn heddiw dim ond un sgrîn sydd ar ôl yn eglwysi'r sir, ac felly mae sgrîn eglwys Llaneilian, ger Amlwch yn bwysig iawn.

Sgrîn dderw yw hon sy'n dyddio o'r unfed ganrif ar bymtheg. Mae llawer o ôl atgyweirio arni a phob arwydd o liw wedi ei ddileu. Ar y bondo o dan llofft y grog mae darlun o ysgerbwd ac uwch ei ben mae'r geiriau 'Colyn angau yw Pechod'. Darlun cyntefig iawn yw hwn, a'i bwrpas oedd rhoi dysgeidiaeth i'r gynulleidfa anllythrennog. Mae'n debyg y byddai darluniau eraill i'w cael ar y sgrîn yn wreiddiol ond maent wedi eu dileu i gyd. Ar un adeg roedd darlun o'r nawddsant wedi ei osod ar y sgrîn, ond erbyn hyn mae i'w weld uwchben drws y festri.

Paneli agored sydd i lofft y grog gyda dau ar hugain o bileri wedi eu mowldio. Nodwedd arbennig y sgrîn yw'r drysau uchel o gynllun Gothig Sythlin sy'n cau'r gangell o gorff yr eglwys; mae hwn yn enghraifft prin o gynllun o'r fath yng Nghymru.

Ceir dwy forder o'r un maint uwchben y sgrîn, ac ar yr isaf

o'r ddwy mae dail y winwydden wedi eu cerfio ynghyd â'r grawnsypiau – sy'n edrych yn debycach i afalau pîn. Mae'r border uchaf wedi ei cherfio â dail tairdalennog, ond mae'r rhan unionsyth o'r dail wedi ei dorri ffwrdd ym mhob un.

Mae'n anffodus fod cymaint o'r sgrîn hon wedi'i malurio dros y canrifoedd, ac mae lluniau ohoni yn dyddio o'r 1920au yn dangos ei bod mewn gwell cyflwr yr adeg honno nag yw hi heddiw, ond mae iddi nodweddion diddorol iawn.

Llanegryn, sir Feirionnydd

Gwelodd y bedwaredd ganrif ar bymtheg nifer o eglwysi o'r Canol Oesoedd yn cael eu gadael i ddadfeilio neu newid eu cymeriad gymaint fel nad ydynt yn debyg i'r adeiladau gwreiddiol nac ychwaith yn gweddu i'w hardaloedd, a gwelwyd eglwysi 'dinesig' gyda thŵr pigfain yn codi yn eu lle. Ond yn Llanegryn, sir Feirionydd fe gadwyd at y cynllun Cymreig gwreiddiol pan oedd yr eglwys yn cael ei hadfer yn 1876. Mae'r diolch am iddi gael dianc rhag dwylo'r ailwampwyr eglwysig Fictoraidd i W.W.E. Wynne, Peniarth, a oedd yn hynafiaethydd nodedig yn ei ddydd ac yn golofnydd yn *Y Cymmrodorion*, ac ef oedd yn llywio'r gwaith o adfer yr eglwys. Nid yw'r berthynas rhwng gwŷr y plas a'r eglwysi wedi bod yn un lwyddiannus bob amser, ond yn Llanegryn mae wedi bod yn fendithiol iawn.

Ceir yr adroddiad cyntaf am yr eglwys yn y *Norwich Taxatio* yn 1253 pan oedd Abaty Cymer ger Dolgellau yn derbyn ei degwm. Eglwys wedi ei chysegru i Sant Egryn oedd yr eglwys cyn dyfodiad y Sistersiaid i Cymer, ac wedi hynny daeth i'w hadnabod fel eglwys y Santes Fair yn ôl eu trefn arferol hwy, ond yn dilyn ymadawiad y mynaich fe'i hadnabyddir hyd heddiw fel eglwys y Santes Fair a Sant Egryn.

Oherwydd y cysylltiad agos oedd rhwng yr eglwys ac Abaty Cymer roedd ond yn naturiol i rai feddwl fod y sgrîn wedi dod o'r Abaty ar ôl ei diddymu yn 1537. Yn wir, mae rhai'n credu hyd heddiw fod y mynaich wedi cario'r sgrîn i Lanegryn yn ystod y nos dros y mynyddoedd.

Rhaid cofio, fodd bynnag, mai Abaty tlawd oedd Cymer, ac fe ddioddefodd yn arw yn ystod rhyfeloedd Edward I yn 1276-77 ac eto yn 1282-83. Erbyn 1388 dim ond pum mynach oedd yno, ac erbyn y bymthegfed ganrif roedd eu hadnoddau ariannol a'i dylanwad wedi dirywio. Yn 1535 nid oedd ei incwm ond ychydig dros £51 y flwyddyn, ac yna yn 1537 fe'i diddymwyd. Fyddai wedi bod yn amhosib dan y fath amgylchiadau i'r Abaty roi'r sgrîn i eglwys Llanegryn. Ni fu ganddynt ddigon o arian i orffen adeiladu'r Abaty. Yn ogystal, roedd y Brodyr Lleyg – y *Conversi* – wedi ymadael o'r Abaty gan mlynedd cyn ei diddymu.

Yn sicr, gwir ogoniant yr eglwys fechan hon yw'r sgrîn a'r groglofft odidog a welir yno. Dyma eto un o drysorau'r Eglwys. Mae'r parapet gorllewinol wedi ei rannu'n dri ar ddeg o baneli a cheir cilfachau hirfain rhwng pob panel; yn y fan hon y byddai delwau bychain wedi eu gosod. Mae gwaith gofalus wedi ei wneud i atgyweirio'r sgrîn yn y gorffennol.

Mae'r parapet ar ochr ddwyreiniol y groglofft wedi'i rannu i ddwy ar bymtheg o baneli ac mae pob panel wedi ei gerfio'n wahanol. Patrymau geometrig crwn, hirgrwn a deimwnt sydd arnynt, gyda dail a ffrwythau wedi eu gweithio i mewn drwy ambell un. Mae'r amrywiaeth sydd yn y cerfiadau hyn yn hynod ond bob amser yn gywrain, ac mae'n anodd dychmygu y gellir gweld paneli gwell na'r rhain yn unman. Roedd yr hen grefftwyr Cymreig yn hoff iawn o ddefnyddio dail y dŵr yn eu cerfiadau, ac fe welir hyn ar ei orau ar y ffrîs yn y sgrîn hon.

Llanrwst, sir Conwy

Un o ryfeddodau Dyffryn Conwy yw sgrîn eglwys Llanrwst, sir Ddinbych. Nawddsant yr eglwys yw Grwst, sant a bu fyw yn ystod y chweched ganrif. Dewisiwyd safle'r eglwys bresennol, ar lan afon Conwy gan Rhun ap Nefydd Hardd yn yr unfed ganrif ar ddeg fel iawn am drosedd ei dad o lofruddio mab Owain Gwynedd.

Difrodwyd yr eglwys yn ystod gwrthryfel Owain Glyndŵr, ac fe'i dinistriwyd yn llwyr yn 1468 gan filwyr Iarll Penfro, ond cafodd ei hailadeiladu yn 1470.

Yn ôl adroddiadau John Parker roedd y sgrîn mewn cyflwr drwg iawn pan ymwelodd â'r eglwys ym mis Awst 1829, ac roedd rhannau ohoni'n rhydd ac yn debygol o ddisgyn i lawr a rhannau eraill yn amlwg wedi mynd ar goll. Nid oedd y Clerc yn gwybod beth oedd wedi digwydd iddynt. Fodd bynnag, darganfu Parker ddarnau ohoni *'in a heap of dust under the floor of the Reading Desk, two small pieces, one was the front of the larger canopies, and the other was one of the smaller ones'*. Mae'r darlun yna yng ngeiriau John Parker yn dweud cyfrolau am agwedd y cyfnod tuag at rai o drysorau'r eglwys.

Erbyn heddiw mae'r sgrîn yn addurn i'r eglwys ac yn ddiddorol iawn, ond sgrîn o gynllun Seisnig ydyw, er bod yn rhaid cydnabod fod rhai nodweddion Cymreig yn perthyn iddi megis y rhwyllwaith sy'n llenwi'r deuddeg bwa. Mewn rhai agweddau mae'n ymdebygu i sgrîn Seisnig eglwys Clynnog, sir Gaernarfon. Dywed yr Archddeacon D.R. Thomas yn ei gyfrolau *History of the Diocese of St Asaph* mai sgrîn o Abaty Maenan oedd hon ac mai'r *Conversi* – y Brodyr Lleyg – a'i gwnaeth tua 1470, ond roeddynt hwy wedi gadael yr Abaty gan mlynedd cyn hynny. Yn ei ffurf a'i gwneuthuriad, sgrîn blwyfol yw hon, ac ni fyddai gan y Sistersiaid sgrîn debyg iddi.

Mae nifer o gerfiadau diddorol i'w gweld ar y sgrîn hon, er enghraifft, symbolau y Dioddefaint, pomgranad, Oen a Lluman, croes a choron ddrain a.y.y.b. Gwelir dau border ar y trawst sydd o dan llofft y grog ac sydd wedi eu cerfio'n feistrolgar. Mae'r border isaf yn cynnwys dail derw yn gwau drwy ei gilydd, a'r uchaf yn cynnwys dail a ffrwyth y winwydden yn ymblethu. Ceir un border arall o ddail a ffrwythau uwchben y paneli.

Mae llofft y grog i'w gweld yma o hyd; byddai'n cael ei ddefnyddio gan y cerddorion a'r cantorion hyd at ddiwedd y bedwaredd ganrif ar bymtheg. Mae ugain o baneli gweddol

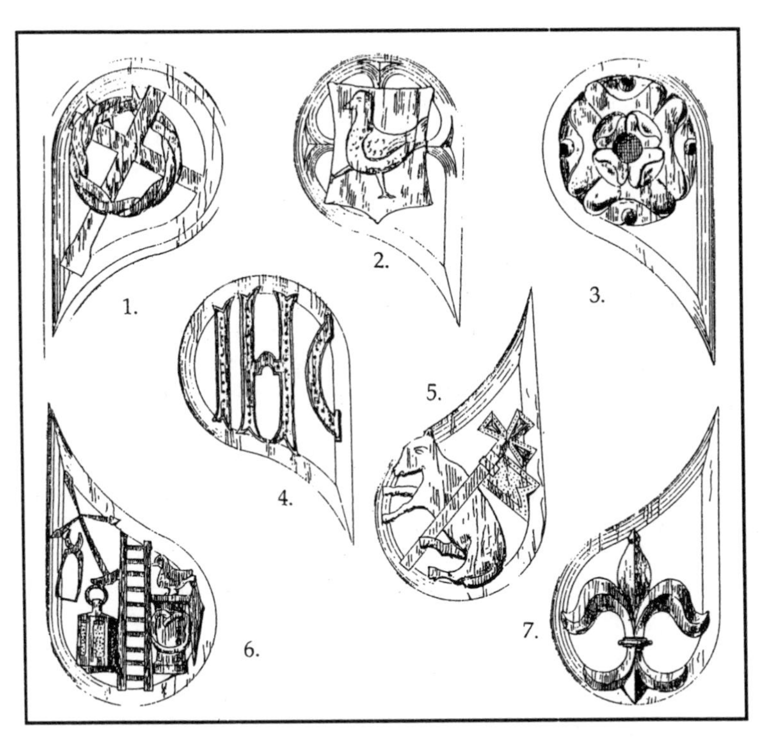

1. Y Groes a Choron Ddrain.
2. Colomen – sydd i'w darganfod yn aml ar fedyddfaen ac yn cynrychioli'r Ysbryd Glân.
3. Rhosyn – arwyddlun y ddwy ochr yn Rhyfel y Rhosynnau ond sydd hefyd yn symbolaidd o Grist.
4. I.H.C. – yn dod o'r gair Groegaidd IHCOYC am Iesu ac o hyn y deilliodd IHC. Cawsai ei ddefnyddio weithiau yn lle IHS.
5. Yr Oen a'r Lluman – yr Agnus Dei (Oen Duw) gyda baner buddugoliaeth. Dywedodd Ioan ar ôl bedyddio Iesu Grist 'Wele Oen Duw, yr hwn sydd yn tynnu ymaith bechodau y byd'. (Efengyl Ioan Pen.1; adn.29)
6. Y Dioddefaint – y morthwyl a'r efail, y lamp a gariwyd yng ngardd Gethsemane; yr ysgol; y ceiliog a ganodd pan fradychwyd Crist gan Pedr.
7. Fflŵr-dy-lis – symbol o burdeb yw'r lili, am bod ei blodau gwyn yn cael eu cysylltu â'r Forwyn Fair. Mae'n cael ei dangos amlaf ar ffurf gonfensiynol o Fflŵr-dy-lis.

blaen gyda chilfachau bychain a chrocedi ynddi i ddal delwau neu ganhwyllau yn wreiddiol. Dywedodd Thomas Dinley yn 1684 iddo weld delw cerfiedig o Grist a oedd unwaith, meddai, ar ben y sgrîn, ond mae'n debyg iawn mai cyfeirio at y 'Crist o Fostyn' ydoedd. Mae hwn i'w weld heddiw yn y Gadeirlan ym Mangor, ac mae'n bosib na fu yn rhan o'r sgrîn hon erioed.

Llanwnnog, sir Drefaldwyn

Pentref bychan yn sir Drefaldwyn yw Llanwnnog gyda chlwstwr o dai ac eglwys hynafol. Yn niwedd y chweched ganrif sefydlodd Sant Gwynog ei eglwys yma. Mae'r eglwys bresennol yn dyddio o 1862 ond mae ar yr un safle â'r eglwys wreiddiol, ac yn gwarchod y gymdeithas glòs sy'n byw yn ei chysgod. Eglwys syml yw o ran cynllun ydyw, ond gyda thŵr sy'n hollol nodweddiadol o eglwysi sir Drefaldwyn a sir Faesyfed.

O'i chwmpas mae sawl coeden ywen fawreddog, ac yn ei mynwent gellir canfod bedd John Ceiriog Hughes, sy'n dangos yr englyn enwog:

Carodd eiriau cerddorol – carodd feirdd
Carodd fyw'n naturiol;
Carodd gerdd yn angerddol,
Dyma ei lwch – a dim lol.

Nid oes unrhyw nodwedd bensaernïol yn rhannu corff yr eglwys oddi wrth y gangell heblaw am y sgrîn a'r groglofft. Mae'r sgrîn yn enghraifft dda o waith crefftwyr sir Drefaldwyn, ac er nad yw'n dangos yr un perffeithrwydd â sgrîn y Drenewydd cyn i honno gael ei malurio, neu'r gwaith coeth a welir o hyd yn Llananno, y mae yn dal i fod yn sgrîn nodedig iawn, ac mae wedi hawlio sylw ar hyd y canrifoedd ers iddi gael ei hadeiladu yn niwedd y bymthegfed ganrif neu ddechrau'r unfed ganrif ar bymtheg. Ceir sawl adroddiad amdani yn y blynyddoedd rhwng 1825 a 1915, gyda nifer ohonynt yn sôn am ei chyflwr yn gwaethygu o'r naill flwyddyn i'r llall drwy esgeulustod neu ddiffyg dealltwriaeth a chydymdeimlad pan yn ei hatgyweirio.

Mae'r sgrîn a'r grooglofft yn annibynnol o'i gilydd ac nid yw'r sgrîn yn dal y grogloft fel y byddai'n arferol, ceir pump bae cul o bobtu mynediad i'r gangell. Ar yr ochr ogleddol gwelir paneli o rwyllwaith, ond mae'r paneli oedd ar yr ochr ddeheuol wedi eu colli. Mae'r cilfwâu o dan y llofft yn creu nenfwd o waith cywrain a chymhleth. Ceir dau banel hir ar yr ochr orllewinol o'r sgrîn wedi eu cerfio'n odidog gyda dail y winwydden yn ymblethu trwy ei gilydd. Fe welir panel arall o ddail a brigau derw a mes eto'n ymblethu trwy ei gilydd. Mae'r gwaith a'r patrymau hyn yn hollol nodweddiadol o waith a welir ar sgriniau Cymreig.

Mae nifer o foglymau yn dal i'w gweld ar y sgrîn hyd heddiw, er fod rhai ohonynt wedi eu colli ac eraill wedi eu defnyddio ar nenfwd yr eglwys. Arnynt mae'r symbolau IHS ac M. Gwelir y llythyren M yn union uwchben mynedfa'r gangell, ac mae hyn yn cyfleu i'r pabyddion mai drwy'r Forwyn Fair y ceir mynediad i'r nefoedd. Ar yr ochr hon hefyd yr oedd nifer o gilfachau bychain ar un adeg i ddal portreadau o'r seintiau, ond fe'u dinistriwyd yn ystod y bedwaredd ganrif ar bymtheg am eu bod, mae'n debyg, yn atgoffa'r gynulleidfa o babyddiaeth y dyddiau a fu.

Mae trawst y grog wedi ei gerfio â dail a ffrwyth y pomgranad yn debyg iawn i sgrîn y Drenewydd, sydd eto'n awgrymu gwneuthuriad lleol.

Llananno, sir Faesyfed

Mae eglwys Llananno, sydd ym Mhowys ar y briffordd A483 o'r Drenewydd i Landrindod Wells, rhyw dair milltir i'r de o Lanbadarn Fynydd. Nid oes pentref yno fel y cyfryw ac fe welir yr eglwys mewn cae oddeutu tri chan llath o'r briffordd ac ar lan afon Ithon.

Nid oes unrhyw wybodaeth ar gael am yr eglwys wreiddiol heblaw am y ffaith mai ei nawddsant yw'r Sant Celtaidd Anno c.780. Mae'n bosib felly fod eglwys wedi bod ar y safle cyn dyfodiad y Normaniaid. Plwyf bychan yw Llananno, sydd oddeutu pedair milltir wrth dair, ac erbyn heddiw mae llai na deugain o drigolion yn y plwyf.

Yn 1871 bu'n rhaid chwalu'r hen eglwys ac adeiladu'r adeilad sydd i'w weld heddiw ar yr un safle. Tynnwyd y sgrîn hynafol i lawr ac yn 1870 fe'i hailadeiladwyd yn yr eglwys newydd. O ran ei chynllun mae'r eglwys yn nodweddiadol o eglwysi cefn gwlad Cymru ac yn gweddu'n naturiol i'r tirwedd.

Er mai disylw yw'r eglwys yn allanol, oddi fewn y mae sgrîn odidog i'w gweld. Ar ôl colli sgrîn y Drenewydd mae sgrîn Llananno yn hawlio'i lle fel yr un fwyaf addurniedig yng Nghymru. Rydym yn ddyledus unwaith eto i'r Parchedig John Parker am ei ddisgrifiadau manwl o'r sgrîn ac fe wnaeth o leiaf bedwar ar hugain o luniau ohoni. Fe wnaeth sawl ymweliad â'r eglwys wrth wneud ei astudiaeth, a thrist yw darganfod sut y gwaethygai gyflwr y sgrîn o flwyddyn i flwyddyn hyd 1841. Ar ei ymweliad cyntaf yn 1828 ei ddisgrifiad o'r eglwys oedd '. . . *the docile and unsightly barn, for the church at Llananno has no pretensions of any sort of architectural beauty'*.

Roedd gan Parker ddisgwyliadau mawr am y sgrîn pan aeth yno ym mis Medi 1828, ond wrth ddarllen ei adroddiad gwelir iddo gael peth siom. Roedd rhannau ohoni wedi torri i ffwrdd a'r cyfan bron i'w weld wedi ei chamystumio. Yn ogystal, roedd y rhan fwyaf o'r crocedi ar y canopi, ynghyd ag un border cyfan, a bron i hanner y nenfwd panelog ar goll. Serch hynny, roedd digon o'r sgrîn yn aros iddo allu rhyfeddu at waith y crefftwyr a oedd, yn ei farn ef, wedi gallu creu'r fath foethusrwydd byrlymol. Er fod rhannau o'r sgrîn i'w darganfod yma ac acw o gwmpas yr eglwys, dywedodd *'I succeeded in restoring some original patterns of panelling which were all broken in pieces, altho' they merited a better fate'*. Treuliodd ddeuddydd cyfan yn astudio'r sgrîn ond yr un pryd cydnabyddai fod ganddo lawer mwy o waith i'w wneud cyn iddo allu ei werthfawrogi'n iawn, ond sylweddolodd ar unwaith fod y sgrîn hon yn un o'r goreuon yng Nghymru ar ôl i un y Drenewydd gael ei cholli.

Erbyn ei ymweliad ym mis Awst 1841 roedd rhyw ymgais wedi ei wneud i atgyweirio'r sgrîn.

Pan roddwyd y sgrîn yn ei ôl yn 1880 bu'n rhaid gwneud nifer o newidiadau iddi gan fod yr eglwys newydd ychydig yn lletach na'r un oedd yno cynt, ac felly ceir pump bae o bobtu mynediad i'r gangell yn lle pedwar fel ag yr oedd yn wreiddiol. Y rhyfeddod mawr yw na fanteisiwyd ar y cyfle yn 1880 i wneud i ffwrdd â hi'n gyfangwbl, oblegid roedd yr hen ddaliadau ofergoelus yn bodoli o hyd.

Yn nyddiau John Parker roedd pump ar hugain o gilfachau bychain ar flaen y sgrîn, ac yn y rheiny y buasai cerfluniau o'r Apostolion a Phroffwydi o'r Hen Destament ac ati wedi bod, ond cawsant oll eu chwalu ar ddechrau'r Diwygiad Protestannaidd. Serch hynny, rhoddwyd ffigurau newydd yn y cilfachau yn 1880, ac er mai ffigurau modern ydynt, maent yn gweddu i'r cyfnod y gwnaethpwyd y sgrîn ynddi. Mae'r ffigurau'n cynrychioli Noa yn cario'r arch, Abraham, Joseph, Aaron, Moses, Samuel, Dafydd, Solomon, Elijah, Esaiah, Jeremiah, Ezeciel, Iesu Grist, Pedr, Andreas, Iago, Ioan, Philip, Iago yr Ieuengaf, Thomas Bartholomew, Mathew Seimon, Judas a Mathias. O dan y ffigurau hyn mae dau forder hir o ddail a ffrwythau, ac ar y border isaf gwelir yr Amphisbaena gyda brigau'r winwydden yn dod o'i enau. Roedd dail y winwydden, dail blodau'r dŵr a'r pomgranad yn symbolau amlwg ym mytholeg Groeg, gyda'r ddau gyntaf yn cynrychioli bywyd a'r olaf farwolaeth, ac fe gafodd y tri symbol eu cerfio ar nifer o sgriniau Cymru o ddechrau'r unfed ganrif ar bymtheg.

Ar ôl gwrthod y syniad fod y sgrîn hon wedi dod o Abaty Cwm-hir, bu rhai'n dadlau mai wedi ei gwneud un ai yn Henffordd neu yng Nghaerlŷr ydoedd. Serch hynny, mae ei gwneuthuriad yn dangos yn eglur mai sgrîn blwyfol Gymreig yw hon, ac mae'r cerfiadau'n wahanol iawn i'r hyn a welir ar sgriniau yn Lloegr. Rhaid cofio wrth gwrs fod yna enghreifftiau o sgriniau o wneuthuriad hollol Gymreig i'w gweld yn Lloegr megis yn St Margaret's, sir Henffordd a Daresbury yn sir Gaer.

Mae sgrîn Llananno yn dangos yn eglur ddychymyg a bywiogrwydd y crefftwyr Cymreig ar eu gorau. Mae'r lliwiau gogoneddus a oedd yn nodweddiadol o waith canolfan sir Drefaldwyn wedi eu tynnu i ffwrdd ond ni ellir ond synnu a diolch am y gwaith caboledig sydd i'w ddarganfod yn y sgrîn hon.

Patrico, sir Frycheiniog

Saif eglwys Patrico rhyw bum milltir o Crucywel ar lethrau'r Mynydd Du yn sir Frycheiniog, ac yn yr unigeddau hyn ni fyddai'r boblogaeth erioed wedi bod yn niferus. Enw llawn yr eglwys yw eglwys y Merthyr Issui (Ishaw neu Isho) yn Patrico. Mae'r ffaith fod yr eglwys mewn man mor anghysbell wedi bod yn foddion i'w hachub oddi wrth broblemau'r canrifoedd. Mae'r ffordd sy'n arwain tuag ati'n croesi afon Grwyne Fawr dros Bont yr Esgob, sydd, yn ôl traddodiad, wedi'i henwi o'r adeg yr oedd Gerallt Gymro'n pregethu yn yr ardal gyda'r Archesgob Baldwin.

Tafliad carreg o'r eglwys mae Ffynnon Isho lle'r oedd gan y Sant ei gell, a'r man hefyd lle cafodd ei ferthyru. Yn y wal yng nghefn y ffynnon roedd cilfachau bychain ble byddai'r pererinion yn gosod delwau sanctaidd neu greiriau.

Y mae i'r eglwys nifer o drysorau diddorol. Ynddi gwelir bedyddfaen Sacsonaidd ac arni gwelir y geiriau *'Menhir me fecit i tempore Genillin'* – 'Menhir a'm gwnaeth yn amser Cynhillyn'. Roedd Cynhillyn yn Arglwydd ar Ystradyw cyn y Concwest. Dywed Llyfr Llandaf fod Herwald, Esgob Llandaf o 1055-1103 wedi cysegru eglwys Merthyr Issui er cof am y merthyr h.y. Patrico. Mae hyn felly'n dyddio'r fedyddfaen rhwng 1055 a 1066.

Heb unrhyw amheuaeth, prif drysor yr eglwys yw'r sgrîn a llofft y grog odidog sydd i'w gweld ynddi, sy'n dyddio o ddiwedd y bymthegfed ganrif. Mae'n amlwg fod safle'r eglwys wedi bod yn rhy anghysbell i'r teithwyr cynnar ddod o hyd iddi fel mai prin iawn yw eu disgrifiadau hwy ohoni. Ond ym mis Mai 1804 roedd Richard Fenton yno ac yn *'Patrico where I saw the most perfect and elegant Rood Loft now standing in the Kingdom, of seemingly Irish Oak which fortunately has escaped either white-washing or painting'*, ac yn hyn o beth mae'r llofft y grog yma yn unigryw. Fe'i gwelir hi heddiw fel y gadawyd hi gan y crefftwyr yn niwedd y bymthegfed ganrif.

Yn anffodus mae'r sgrîn ei hun wedi ei niwedio'n arw ac mae llawer o'r rhwyllwaith yn y rhaniadau wedi eu torri, a phanelau plaen diaddurn sydd i'r wensgod.

Mae'r trawst sydd o dan llofft y grog yn foethus o gerfiadau. Gwelir tair border arno, a'r naill un yn lletach na'r llall wrth fynd i fyny. Ar y border isaf mae llinell o ddail wedi eu cerfio'n ddwfn, ac ar y border canol mae fersiwn o ddail y dŵr ond heb y medrusrwydd sydd i'w weld yn sgrîn Llananno. Mae pob rhan o'r patrwm wedi ei wneud o chwe deilen a thri blodyn bychan. O bobtu'r border uchaf mae draig gyda cheg agored, dannedd miniog a chynffon hir, troellog. O'i cheg daw brigau gwinwydd gyda dwy ddeilen â grawnsypiau rhyngddynt. Gwaith newydd i raddau helaeth iawn yw'r grib a welir uwchben y tair border.

Er mor odidog yw'r gwaith a welir ar y tair border, prif ogoniant y llofft yma yw'r gwaith a welir ar y parapet. Mae hwn wedi'i rannu i ddau ar bymtheg o baneli o rwyllwaith cywrain, sydd mor gywrain fel eu bod yn ymdebygu i baneli o waith les. Mae pob panel yn mesur 8½ modfedd o led a 25 modfedd o uchder.

Ar y trawst uwchben y parapet mae deunaw twll wedi eu torri i ddal canhwyllau.

O flaen y sgrîn mae dwy allor garreg ac ar y ddwy mae pump croes wedi eu torri. Dyma'r unig enghraifft a geir o allorau tebyg yng Nghymru sy'n dal i fod yn eu safleoedd gwreiddiol.

Ar y wal orllewinol yng nghorff yr eglwys mae darlun o angau'n dal cryman yn ei law dde ac awrwydr a rhaw yn ei law ac ar ei fraich chwith. Mae yma hefyd hen gist wedi ei naddu o un darn o bren sy'n debyg iawn i'r gist a welir yn eglwys Clynnog, sir Gaernarfon.

Os nad oedd yr eglwys fechan hon ar lwybrau'r teithwyr mae'n amlwg nad oedd chwaith ar lwybrau'r difrodwyr, ac fel ambell enghraifft arall yng Nghymru, mae ei safle wedi ei hachub hi a'i thrysorau i ni fedru eu mwynhau heddiw.

Epilog

Ni all unrhyw astudiaeth o eglwysi osgoi sôn am bwysigrwydd y gwaith o atgyweirio ac adnewyddu sydd wedi cymryd lle. Mae'r gwaith o atgyweirio eglwysi o'r Canol Oesoedd ynghyd â'r gwaith coed cerfiedig oedd ynddynt wedi ennyn sylw mawr dros y blynyddoedd ac yn aml iawn wedi cael ei feirniadu'n llym. Ceir sawl enghraifft yng Nghymru lle mae'r eglwysi a'u cynnwys wedi eu difetha'n llwyr gan y rhai oedd yn eu hatgyweirio.

Roedd y pensaer Gilbert Scott yn hallt iawn yn ei feirniadaeth o'r rhai oedd yn difetha gwaith y cyfnod cynnar hwn, er ei fod yntau yn ei dro, wedi cael ei feirniadu'n eithaf llym am yr un camwedd – er enghraifft, nid oes unrhyw waith coed gwreiddiol wedi aros yn y Gadeirlan ym Mangor.

Beth bynnag a feddyliwn am atgyweiriadau Fictoraidd, mae'n rhaid cofio bod nifer o eglwysi mewn cyflwr drwg iawn yr adeg honno, ac i ni heddiw byddent yn edrych yn ofidus o blaen ac yn noeth. Roedd y dodrefn a oedd ynddynt yn perthyn i sawl cyfnod ac yn amherthnasol i ofynion yr Eglwys ar y pryd; roedd nifer o seddau bocs i'w gweld ar draws ei gilydd, a phulpud o ddwy neu dair lefel mewn nifer o eglwysi bach. O ganlyniad i'r alwad i adnewyddu, roedd penseiri Fictoraidd yn barod iawn i chwalu'r seddau bocs a thynnu'r pulpudau mawr i lawr, ynghyd â'r byrddau a ddangosai'r Deg Gorchymyn ac ati, a derbyn unwaith yn rhagor yr arddull Gothig.

Er i'r Fictoriaid gael eu beirniadu am yr hyn a wnaethant i'r eglwysi, mae'n rhaid cydnabod hefyd ein gwerthfawrogiad iddynt. Hwy fu'n gyfrifol am osod nifer fawr o ffenestri lliw godidog mewn llawer iawn o eglwysi, yn ogystal â gwneud gwaith haearn addurniedig gwych.

Rhaid cofio fod y gwaith a wnaethpwyd yn ystod oes Fictoria wedi ei gyflawni mewn cyfnod o lai na deng mlynedd a thrigain, ac yn y cyfnod hwnnw bu'n rhaid i'r penseiri a'r crefftwyr ddysgu o'r newydd lawer o arddulliau Gothig a oedd bron wedi mynd yn angof. Mae ein heglwysi'n cynnwys llawer iawn o waith gorau'r cyfnod ac nid oes amheuaeth nad yw'n dreftadaeth o'r pwysigrwydd mwyaf i'n cenhedlaeth ni heddiw.

Fodd bynnag, nid amgueddfeydd yw'r eglwysi i fod. Maent i fod yn rhan bwysig o'n trefi a'n plwyfi fel ei gilydd. Os yw eglwysi'n cau heddiw, a'r cynulleidfaoedd yn prinhau, dengys adroddiadau fod nifer cynyddol o bobl yn hoffi ymweld â'r eglwysi ac yn mwynhau a rhyfeddu at y trysorau sy'n rhan mor bwysig ohonynt.

Mae'n rhaid cwestiynu beth sy'n mynd i ddigwydd yn y dyfodol. A ydym ni ar ddechrau'r unfed ganrif ar hugain yn barod i ysgwyddo'r baich o'u cynnal a'u cadw, fel ein bod yn gallu eu trosglwyddo'n saff i'r genhedlaeth sydd yn ein dilyn?

Wrth droi i mewn i ambell eglwys hynafol yng nghefn gwlad ac edmygu'r sgrîn a llofft y grog sy'n dyddio o'r Canol Oesoedd, beth fyddai gan y coed hyn i ddweud wrthym? Maent wedi bod yn dystion i newidiadau mawr dros y canrifoedd, ac wedi gweld newidiadau lawer yn yr act o addoliad gyhoeddus. Maent wedi gweld gweithredoedd dynoliaeth ar ei orau ac ar ei waethaf.

Wrth gydio yn y coed hyn heddiw a theimlo ôl llaw y crefftwyr cynnar rydym yn pontio gagendor o dros bum can mlynedd, beth fydd ganddynt i'w ddweud amdanom ni tybed? Mae'r cyfrifoldeb yn pwyso'n drwm arnom.

Llyfryddiaeth

Anderson, M.D., *The Mediaeval Carver*, Cambridge University Press, 1935

Anderson, M.D., *Misericords*, Penguin Books, 1954

Bebb, W. Ambrose, *Machlud y Mynachlogydd*, Gwasg Aberystwyth, 1937

Bond, Francis, *Woodcarvings in English Churches – 1 Misericords*, Oxford University Press, 1910

Bond, Francis, *Screens and Galleries in English Churches*, Oxford University Press, 1908

Bond, F. Bligh and Camm, D., *Roodscreens and Roodlofts* (2 Vols.), Isaac Pitman, London, 1909

Cylchgronau, *Archaeologia Cambrensis*

Cylchgronau, *Yr Haul* (1891-1914)

Curl, J.S., *Victorian Churches*, B.T. Batsford, London, 1995

Friar, Stephen, *The Companion to English Parish Churches*, Chancellor Press, 2000

Hughes and North, *The Old Churches of Snowdonia*, Jarvis and Foster, Bangor, 1924

North, H.L., *The Old Churches of Arllechwedd*, Jarvis and Foster, Bangor, 1906

James, J.W., *A Church History of Wales*, A.H. Stockwell Ltd., 1945

Jones, Francis, *The Holy Wells of Wales*, University of Wales Press, 1992

Meyrick, Sir Samuel Rush, *History and Antiquities of the County of Cardigan*, 1809

Newell, E.J., *A History of the Welsh Church*, Elliot Stock, London 1895

Parker, J.H., *Introduction to Gothic Architecture*, London, 1891

Parry, Edgar W., *Y Teithwyr yng Nghymru (1750-1850)*, Gwasg Carreg Gwalch, 1995

Parry, Edgar W., *John Parker's Tour through Wales and its Churches*, Gwasg Carreg Gwalch, 1998

Remnant, G.L., *A Catalogue of Misericords in Great Britain*, 1969

Richards, Robert, *Cymru'r Oesau Canol,* Hughes a'i Fab, 1933
Thomas, Archdeacon D.R., *History of the Diocese of St Asaph* (3 Vols.) 1906-1913
Walsh, Walter, *The Secret History of the Oxford Movement*, London 1899